100 Anos de
COMUNICAÇÃO ESPÍRITA
em São Paulo
1881 - 1981

Eduardo Carvalho Monteiro

100 Anos de
COMUNICAÇÃO
ESPÍRITA
em São Paulo
1881 - 1981

Co-Edição

© 2003, Madras Editora Ltda.

Editor:
Wagner Veneziani Costa

Coodernador:
Eduardo Carvalho Monteiro

Capa:
Equipe Técnica Madras

Produção e diagramação:
ST&P
Rua Tagipuru, 235 — Cj. 135 — Perdizes — São Paulo/SP
Tel./Fax: (0_ _11) 3661-5212
E-mail: stp@greco.com.br

Revisão:
Mª de Fátima C. A. Madeira
Alessandra Miranda de Sá

Tiragem:
3 mil exemplares

ISBN: 85-7374-600-9

Co-Edição

ADE-SP Associação de Divulgadores do Espiritismo de São Paulo
Rua Manoel Muniz dos Anjos, 14 — Tremebé — São Paulo/SP
CEP 02372-040 — Tel.: (0_ _11) 6262-7309

Proibida a reprodução total ou parcial desta obra, de qualquer forma ou por qualquer meio eletrônico, mecânico, inclusive por meio de processos xerográficos, sem a permissão expressa do editor (Lei nº 9.610, de 19.2.98).

Todos os direitos desta edição reservados pela

MADRAS EDITORA LTDA.
Rua Paulo Gonçalves, 88 — Santana
02403-020 — São Paulo — SP
Caixa Postal 12299 — CEP 02013-970 — SP
Tel.: (0_ _11) 6959.1127 — Fax: (0_ _11) 6959.3090
www.madras.com.br

Sumário

Prefácio 7

1º Capítulo — O surgimento da Imprensa

O surgimento da Imprensa 11

a) A imprensa no Brasil 13

b) A imprensa em São Paulo 15

c) A censura à imprensa 16

2º Capítulo — A Imprensa Espírita em São Paulo

A Imprensa Espírita em São Paulo 21

a) Três pioneiros espíritas 23

b) O Espiritismo e as outras religiões 27

c) O progresso da Imprensa Espírita nas décadas de vinte e trinta 31

d) Grande propagação nos anos quarenta 33

e) Herculano Pires, um capítulo à parte do jornalismo espírita 35

f) Resenha de publicações espíritas e espiritualistas (1881 — 1910) 39

3º Capítulo — Fatos, fotos e personagens

a) Batuíra — *Verdade e Luz* (1838 — 1909) 56

b) Anália Emília Franco, a Grande Dama da Educação Brasileira (1853 — 1919) 58

c) Jornal *Perdão, Amor e Caridade* (1894) 60

d) Jornal *O Alvião* (1904) 62

e) Cairbar Schutel, o Bandeirante do Espiritismo (1868 — 1938) 65

f) Umberto Brussolo – A divulgação através das Artes (1877 — 1938) 68

g) João Leão Pitta (1875 — 1958) 70

h) Associação de Propaganda Espírita do Estado de São Paulo 71
i) Grande concentração de jornalistas e intelectuais espíritas 72
j) Prévia do 1º Congresso Espírita Brasileiro 73
k) Vinte mil espíritas reunidos no Pacaembu 74
l) Resenha de publicações espíritas (1910 — 1951) 76

4º Capítulo — Propaganda Espírita Radiofônica (1932 — 2002)

a) Tentativas pioneiras 104
b) A primeira palestra espírita radiofônica 105
c) Mais registros históricos 106
d) *Hora Espiritualista* 106
e) Rádio Piratininga 107
f) Rádio Progresso 109
g) Rede Boa Nova de Rádio 111
h) Outros programas 116

5º Capítulo — Registros importantes

a) *Anuário Espírita* 120
b) *Clube dos Jornalistas Espíritas* 121
c) Primeiro programa espírita na TV 123
d) Novela *A Viagem* 124
e) *Pinga-fogo* com Chico Xavier 125
f) IXº CONBRAJEE — Congresso Brasileiro de Jornalistas e Escritores Espíritas 126

6º Capítulo — Imprensa Espírita Contemporânea

a) Referências a publicações espíritas (1951 — 1981) 134
b) Imprensa espírita contemporânea (Exposição de fac-símiles de Periódicos) 138

7º Capítulo — ADE-SP — Passado, presente e futuro

a) Histórico da ADE-SP 152
b) Jornal *Aja!* 158
c) Programa Radiofônico *Ação 2000* 159

Bibliografia 161
Obras do Autor 163

Prefácio

Eduardo Carvalho Monteiro, espírita, autor de vários livros importantes da literatura espírita, conferencista, pesquisador, dotado de vasto conhecimento da área a que se dedica, solicita-me que escreva o prefácio desta obra que, após lê-la, reputo-a de fundamental importância para uma visão mais ampla da história da imprensa espírita no Estado de São Paulo.

Este meticuloso trabalho, realizado com precisão e competência, era uma iniciativa esperada e necessária para a memória do desenvolvimento do processo na área da divulgação do Espiritismo para o social. Permite-nos e também à posteridade a leitura realista das fases de montagem desse grande mosaico, composto pela contribuição de pessoas e instituições que colaboraram para que pudéssemos percorrer os caminhos abertos pelos nossos antecessores, divisando um patamar mais avançado na comunicação social espírita iniciada por Allan Kardec na França, com a *Revista Espírita*, em 1858.

A história da imprensa espírita é riquíssima e é evidente que não se resume ao segmento apresentado no livro de Eduardo, mas, sem dúvida, ele já é parte da grandiosa história da imprensa espírita universal.

A trajetória do conhecimento espírita se deu em todo o mundo a partir de 1857 e chegou no Brasil fazendo-se notícia, tornando-se matéria difundida pela mídia. E São Paulo, como não poderia deixar de ser, através dos variados meios e veículos de comunicação existentes, com a atuação de pessoas idealistas, associações, instituições, fez a sua parte. E uma grande parte dessa riquíssima e valiosa experiência está contida na narrativa do autor. Outras tantas existentes estarão em bibliotecas, boletins, jornais, livros, anotações e atas, perdidas em gavetas, armários e na memória de criaturas atuantes do movimento que, infelizmente, acredito, jamais virão à luz. Mas... o que está contido na obra oferece a todos a amplitude do trabalho do autor. São informações sobre a contribuição dos participantes do processo de aperfeiçoamento e enriquecimento do Movimento Espírita. Os fatos passam para a história. Relembrá-los representa rememorar a caminhada espiritual do ser, pois a história envolve fatos, acontecimentos, cujo personagem principal é o próprio homem.

Não podemos esquecer que alguns fatos e acontecimentos merecem ser lembrados pela importância, significado e transcendência, nem sempre compreendidos pelos seus próprios agentes. Mais ainda: merecem ser estudados, examinados em suas raízes, colocados à disposição de todos, pois deles são extraídas sábias lições para a vida. Assim é este livro.

O Movimento Espírita, isto é, as atividades realizadas e produzidas pelos homens em favor da divulgação e do conhecimento espírita é composto de etapas e acontecimentos muitas vezes esquecidos. Suas raízes históricas nem sempre são devidamente conhecidas pelos seus adeptos, e seu resgate é da mais alta significação porque permite análise mais profunda da questão: suas necessidades reais, as aspirações de cada ser, de cada grupo e de cada sociedade que esteve presente no curso da história dos 100 anos da imprensa espírita do Estado de São Paulo. Observemos os fatos, sua impotância histórica, seu significado decorrente da necessidade social, as circunstâncias políticas do movimento nas suas fases de desenvolvimento, sabendo extrair deles o melhor dos ensinamentos. Recordemos o passado. A análise da história traz lições. Os fatos são experiências, conforme nos ensina a doutrina, e projetam o Espiritismo para o novo tempo.

Éder Fávaro,
pela ADE-SP — Associação dos Divulgadores
do Espiritismo do Estado de São Paulo.

Capítulo 1
O Surgimento da Imprensa

a) A imprensa no Brasil
b) A imprensa em São Paulo
c) A censura à imprensa

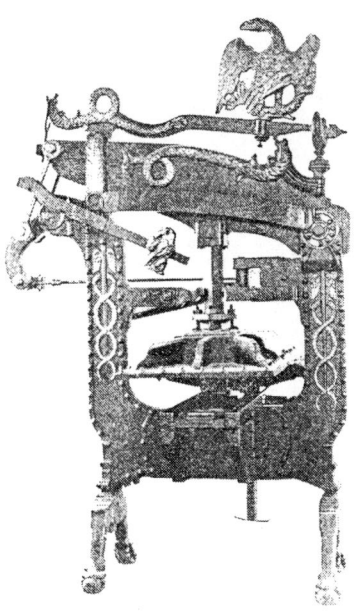

A primeira máquina tipográfica.

O Surgimento da Imprensa

Não obstante chineses, coreanos e japoneses conhecerem a arte da impressão desde remotos tempos, esta só começou a desenvolver-se na civilização ocidental a partir do século XV, atribuindo-se a Johanes Gonsfleish Gutenberg (1400 – 1468) a invenção da tipografia. A insuficiência de dados sobre Gutenberg, aliado ao fato de desconhecer-se qualquer obra que traga sua assinatura e data, proporcionou o aparecimento de outras hipóteses sobre quem poderia ter sido o inventor dos primeiros caracteres móveis. De qualquer maneira, Gutenberg foi o primeiro a fazê-los de metal, utilizando-se da mesma técnica com que se cunhava moedas e medalhas.

Percebendo desde cedo a importância da descoberta como instrumento de dominação dos povos, a Igreja e os poderosos trataram de criar mecanismos de vigilância sobre esse influente meio de disseminação de idéias. Na raiz de seu surgimento e até quando conseguiu, deixando reflexos ainda hoje, a Igreja impôs suas publicações, proibiu e perseguiu a quem ousasse romper o cerco do seu *imprimatur.*

Livros acorrentados da Biblioteca Malatestiana.

Data de 1486 o primeiro decreto à censura de livros impressos, um mandamento de Bertoldo, arcebispo da Mongúcia, principalmente dirigido contra as traduções para o alemão de textos gregos e latinos: *Mau grado as facilidades trazidas pela divina arte de imprimir ao acrescentamento da ciência, abusarem algumas pessoas dessa invenção, empregando em detrimento do gênero humano que estava destinado à sua instituição.* E acrescentava o édito a proibição de publicar-se qualquer livro traduzido sem o consentimento de quatro doutores adredemente designados.

Pressentindo os albores da reforma, os dominadores clericais trataram de criar barreiras à propagação das letras impressas. Assim, Alexandre XV impôs aos tipógrafos a necessidade de só imprimirem livros com a licença de bispos ou inquisitores locais. Leão X, em 1515, acrescentou à pena de excomunhão o confisco de equipamentos e outras sanções. Adriano VI e Clemente VII, este na sua bula *In Coena Dimini*, alargaram as medidas. No entanto, os interesses da Igreja começaram a se chocar com os dos Estados provocando, inclusive, conflitos de competências, punições e interferindo nas publicações destes últimos. Acresça-se a este estado de coisas a grande confusão causada pela interdição de bispos e inquisitores de um lugar, o que, alhures, outros autorizavam. Para resguardar a autoridade, o imperador Carlos V encomendou aos professores da Universidade de Louvain um catálogo de livros permitidos, publicado pela inquisição de Valência em 1551, sob a denominação *Índice Expurgatório*, um pioneiro imitado pela Universidade de Paris dois anos mais tarde.

Com o surgimento de mais *índices* pelo poder superior dos Estados, e pelo fato de serem mais simples e definidos, estes se sobrepujaram às bulas papais, fazendo com que o Vaticano também publicasse seu *Índice Expurgatório* em 1559, no qual incluiu, além da proibição dos livros, um rol de sessenta tipografias interditadas e tudo o que lá se estampasse. A reação não tardou: *Os bispos, os sumos-pontífices e os concílios podem declinar-nos o que ler, e nós não representaríamos nunca demasiadamente as advertências dos nossos padres espirituais, mas nem eles têm alguma autoridade de coação, nem o clero algum direito para nos impedir a lição dos livros que nos parecerem bons e tiverem sido publicados com a autoridade do soberano.*

Na realidade, acima da disputa histórica da competência de poderes, o que Estados e Igreja almejavam era reter para si o poderoso instrumento de propaganda visando a escravização dos homens.

Das primeiras folhas de vida efêmera e edições irregulares, surgiu em 1702 o primeiro periódico europeu, o *Daily Courant*, e de 1704 a 1711, Daniel Defoe, Swift, Steele e Addilson criavam a imprensa literária e política.

Em Portugal, o estabelecimento da arte tipográfica aconteceu com atraso, em 1487, e não acompanhou o progresso de outros países, inclusive a Espanha.

México (1533), Peru (1577) e Bolívia (1612), colônias espanholas, nestes anos já possuíam tipografia, mas o Brasil só iria contar com os benefícios desta arte em 1808, com precedência apenas sobre a África do Sul (1814) e Grécia (1823). Esse atraso deveu-se à política colonialista portuguesa sobre o Brasil, disposta apenas a explorar as riquezas do país e distante de se interessar em promover a cultura para o povo e criar qualquer empreendimento comercial que concorresse com os produtos portugueses. Prova disso foi o ocorrido com o tipógrafo português Antonio Izidoro da Fonseca que, de 1747 a 1750, tentou instalar uma tipografia no Rio de Janeiro e, após produzir alguns impressos, teve por ordem régia seus bens seqüestrados e queimados, além de ser deportado para Lisboa.

Primeiro impresso feito no Brasil na tipografia de Antonio Izidoro da Fonseca em 1747. Romance heróico em 27 quadras. (Fac-símile)

a) A imprensa no Brasil

As primeiras manifestações livres da imprensa brasileira não surgiram de uma tipografia plantada em solo nacional, mas vieram da pena de um brasileiro estabelecido em Londres, Hipólito José da Costa Pereira Furtado de Mendonça (1774 – 1823) que, atento aos problemas do Brasil, tornou-se defensor de sua elevação e da implantação das idéias de liberdade de

Hipólito José da Costa
Pereira Furtado de Mendonça.

que se contaminou ao tomar contato com os novos princípios da democracia americana. O seu *Correio Braziliense*, impresso além-mar, que fortíssima influência exerceu em plagas brasileiras, tornou-se um libelo na defesa dos ideais democráticos e na libertação do Brasil das garras lusitanas.

Maçom convicto, iniciado na Filadélfia (EUA), Hipólito revelava sensibilidade para a resolução de problemas sociais e sua vida pública acabou tornando-se uma luta constante pela reforma dos costumes políticos e instituições de sua terra natal. A influência da Maçonaria na época refletiu-se profundamente nesse pioneiro do jornalismo, tendo seu mais autorizado biógrafo, Mecenas Dourado, assim se expressado: *O fato é que Hipólito, fervoroso adepto da Maçonaria, desenvolveu a doutrina que se continha em suas premissas e dela fez o programa de sua atividade política e jornalística.*

O *Correio Braziliense* pode ser considerado o primeiro periódico brasileiro e o primeiro em idioma português a circular sem censura. Hipólito José da Costa, portanto, é o fundador da imprensa brasileira.

No mesmo ano da fundação do *Correio*, o Brasil passou a contar com os benefícios da instalação da tipografia e de sua primeira fábrica de papel no Andaraí Pequeno, Rio de Janeiro (1808 – 1810), por Henrique Nunes Cardoso e Joaquim José da Silva, comerciantes portugueses.

Em 13 de maio de 1808, foi criada a *Impressão Régia*, assim noticiada pelo *Correio*: *Saiba o mundo e a posteridade que, no ano de 1808 da era cristã, mandou o governo português buscar à Inglaterra uma impressão com seus apendículos necessários e a remessa que daqui se lhe fez importou em cem libras esterlinas!!! Contudo, diz-se que aumentará este estabelecimento tanto mais necessário quanto a governo ali nem pode imprimir as suas ordens para lhe dar suficiente publicidade. Tarde, desgraçadamente tarde: mas, enfim, aparecem tipos no Brasil; e eu, de todo o meu coração, dou os parabéns aos meus compatriotas brasilienses.*

Até a Proclamação da Independência, além da *Impressão Régia*, surgiram as oficinas provinciais da Bahia, Pernambuco, Maranhão e Pará, autorizadas, mais duas em Vila Rica e seis no Rio de Janeiro. Nas demais províncias, a tipografia acompanhou a chegada do periodismo político-partidário.

Capa dos folhetos intitulados *Correio Braziliense*.

b) A imprensa em São Paulo

São Paulo teve na Capital da Província a sua primeira publicação periódica, manuscrita e em caráter transitório, surgida em julho ou agosto de 1823. Intitulava-se *O Paulista*, era bi-semanário, dirigido e redigido pelo professor de gramática latina e retórica Antonio Mariano de Azevedo Marques, o *mestrinho*, sendo verdadeiramente um instrumento de informação e de orientação da opinião pública editada à feição da época.

A Província só veio gozar efetivamente do serviço de uma tipografia própria em 1827 com o aparecimento de *O Farol Paulistano*, jornal de combate, de propriedade do Dr. José da Costa Carvalho, cuja primeira edição saiu a 7 de fevereiro desse ano e publicou-se regularmente até 1833. Até sua encampação pelo governo provincial, sua Oficina imprimiu *O Observador Constitucional*, *O Correio Paulistano*, *O Paulista*, *A Voz Paulistana*, todos em 1931, e depois *O Federalista*. A linha editorial de todos era a defesa de ideais políticos.

Depois dessa fase, o movimento jornalístico de São Paulo esmoreceu e de 1833 a 1839 apenas oito jornais foram publicados, sendo políticos apenas quatro. De 1840 em diante, com o aparecimento de novos estabelecimentos tipográficos, e por não pertencerem à redação de nenhum jornal especificamente, os periódicos multiplicaram-se e, nesse ano, fundaram-se seis jornais na capital.

Em 1850, os jornais surgidos na capital foram 47, e de 1851 a 1860, 55 novos periódicos vieram a lume nesse profícuo decênio para uma população de 20.000 pessoas.

Daí por diante o jornalismo tomou uma rota de crescimento compatível com o desenvolvimento intelectual e material de São Paulo.

De 1861 a 1870 apareceram na capital 60 jornais novos; de 1871 a 1880, 81; de 1881 a 1890, 273, e na mesma progressão até o primeiro decênio do século XX. No interior, a primeira localidade a ser dotada de imprensa foi Sorocaba (1842), seguindo-se Santos (1848), Itu (1849), Guaratinguetá (1859), Campinas (1860), Taubaté (1861), Pindamonhangaba (1863), Bananal (1867), Areias (1869) e Caçapava (1870). Em 1915, os 174 municípios de São Paulo contavam com tipografia própria.

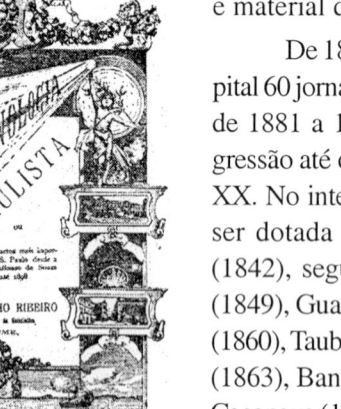

Ribeiro, José Jacintho (São Luís, MA, 1846—doc. 1899). Oficial da repartição de estatística e arquivo público do Estado de São Paulo, dedicou-se ao jornalismo.
Rio de Janeiro, RJ, Typographia Official do Diario Official, 29,5 × 21 cm.

Desse aluvião de jornais vindos a lume na capital de São Paulo durante o Império, o *Correio Paulistano* (1854), a *Província de São Paulo* (1875), o *Diário Popular* (1854) e *A platéia*, a princípio semanário e depois diário (1888), conseguiram romper o novo século e manter-se ininterruptamente desde as primeiras emissões como orientadores da opinião pública. Destes, *O Estado de S. Paulo* e o *Diário Popular* (agora *Diário de São Paulo*) sobrevivem até hoje.

c) A censura à imprensa

Instalada a tipografia no Brasil, introduziu também o governo os meios de escravizá-la aos seus interesses públicos e privados. Qualquer texto a imprimir-se deveria ser encaminhado à *Impressão Régia* por aviso da *Se-*

cretaria de Engenheiros e da Guerra para sofrerem exames pelos censores régios e pelo Desembargo do Paço, cuja Mesa era composta pelo Frei Antonio de Arrábida, padre João Manzoni, Carvalho e Mello e José da Silva Lisboa. Ou seja, uma Mesa ao contento da classe das sotainas.

Com o juramento da Constituição portuguesa de 1821, onde se estabelecia *a liberdade de manifestação de pensamento pela qual todo cidadão, sem censura prévia, podia manifestar suas opiniões em qualquer matéria, responsabilizando-se pelo abuso dessa liberdade,* o Príncipe Regente baixou Decreto no Brasil nos mesmos dizeres, abolindo a censura prévia da imprensa, bem como mantendo o princípio de responsabilidade do autor por abusos cometidos, sendo proibido, conseqüentemente, o anonimato.

Em 22 de novembro de 1823, foi promulgada a primeira lei brasileira de imprensa, antecedendo a Constituição do Império, e que estabelecia em seu Artigo primeiro: *Nenhum escrito de qualquer qualidade, volume ou denominação é sujeito a censura, nem antes, nem depois de impresso.* Previa, igualmente, os abusos e penas aplicáveis.

Nova lei iria regulamentar a matéria em 1830, visando coibir abusos passíveis de serem punidos, mas que, na realidade, era uma brecha que serviria aos interesses do Império e da Igreja. Previa a lei: ataques que visassem à destruição do regime; provocações; rebelião contra a pessoa do Imperador; incitamento à desobediência das leis e autoridades constituídas; doutrinas anti-religiosas e blasfêmias; calúnias, injúrias e zombarias contra a religião oficial do Império e outras autoridades do país, ao Imperador, Família Imperial; difamação de qualquer pessoa, extensivo também a gravuras sediciosas, difamatórias e imorais. Contudo, durante o Império, a Imprensa gozou de relativa liberdade, contribuindo para a paz que se tinha nesse tempo.

Com a instalação da República no Brasil vivemos tempos turbilhonados que ocasionaram repetidas vezes sérias e severas restrições à liberdade de imprensa.

A Constituição Republicana de 1891 determinava que *é livre a manifestação do pensamento de imprensa ou pela tribuna, sem dependência da censura, respondendo cada um pelos abusos que cometer nos casos e pela forma que a lei determinar. Não é permitido o anonimato.*

A primeira lei regulamentando a imprensa surge em 31 de outubro de 1923, fixando penas aplicáveis aos crimes de injúria, difamação e calúnia, além de versar sobre a moral pública, os bons costumes e outros quesitos.

O que se viu posteriormente foi um longo período de controle da imprensa durante o domínio de Getúlio Vargas, estabelecendo-se em 1946 o privilégio da liberdade de imprensa, com a garantia de direito de resposta.

A partir da Revolução de 1964, inúmeras foram as reformas da lei de Imprensa, todas elas coercitivas e num total desrespeito e retrocesso à liberdade de pensamento. Os nossos contemporâneos sabem muito bem o que isto representou.

Brasão da tipografia.

Capítulo 2

A Imprensa Espírita em São Paulo

a) Três pioneiros espíritas
b) O Espiritismo e as outras religiões
c) O progresso nas décadas vinte e trinta
d) Grande propagação nos anos quarenta
e) Herculano Pires, um capítulo à parte do jornalismo espírita
f) Resenha de publicações espíritas e espiritualistas (1881–1910)

Luiz Olympio Telles de Menezes — Patrono da Imprensa Espírita Brasileira.

A Imprensa Espírita em São Paulo

A Revista *Reformador* de 1944, página 207, publicou a informação de que em 1844 o Marquês de Maricá editou um livro no qual se encontram os primeiros ensinamentos de fundo espírita divulgados no Brasil, anteriores, portanto, aos fenômenos das irmãs Fox, em Hydesville, e ao estudo de Allan Kardec das *mesas girantes*.

Em 1853, Melo Morais já tinha no Rio o seu grupo de estudos e fenômenos espiríticos que então invadia a Europa e ao qual freqüentavam o Marquês de Olinda, o Visconde de Uberaba, o General Pinto e outros. Segundo depoimento do espírita Antonio Pinheiro Guedes, também faziam sessões na corte o Visconde de Inhomerim e o Visconde de Santa Isabel. Nesse mesmo ano, o jornal *O Ceará* noticiou, pela primeira vez no Brasil, o *fenômeno das mesas girantes*, praticado pelo Barão de Vasconcellos e seu grupo, que em-

O Marquês de Maricá, precursor do Espiritismo no Brasil.

polgavam a curiosidade pública na França. Em 26 de julho, *O Ceará* voltou ao assunto relatando que tais fenômenos também foram obtidos, *apesar da incredulidade geral* (*sic*) em experiências feitas em Pernambuco, Ceará e outros Estados brasileiros.

O articulista conclui sua informação com os versos: *Digam lá os sábios da escritura/que segredos são estes da natura.*

Enquanto em 1857 aparecia nas livrarias francesas a obra básica da Codificação, *O Livro dos Espíritos*, em meados de 1860 são publicados por Casemiro Lieutand no Brasil as obras *Os tempos são chegados* e *O Espiritismo na sua mais simples expressão.*

Em 23 de setembro de 1863, o *Jornal do Commercio* do Rio de Janeiro publicou um comentário favorável ao Espiritismo e no dia 28 desse mês Luiz Olímpio Telles de Menezes voltou às páginas do jornal para, numa tréplica, defender a doutrina nascente dos ataques da *Gazette Médicale*.

Foi Telles de Menezes quem fundou o primeiro grupo genuinamente espírita do Brasil em 1865 em Salvador, Bahia, sob a denominação de *Grupo Familiar do Espiritismo*. A iniciativa frutificou e no seio do *Grupo* surgiu o primeiro periódico do Brasil, *O Echo d'Além Túmulo, Monitor do Spiritismo no Brazil*, impresso na tipografia do *Diário da Bahia* sob a responsabilidade de Teles de Menezes. Editou também, em 1869, o primeiro livro de divulgação doutrinária em versos, *O Espiritismo, meditação poética sobre o mundo invisível,* de Júlio César Leal, que mais tarde viria a ser Presidente da *Federação Espírita Brasileira* (1895).

Já podia se dizer, com Humberto de Campos, Espírito, em sua feliz expressão, *que Jesus estava transplantando da Palestina para a região do Cruzeiro a árvore magnânima do seu Evangelho...*

Em São Paulo, segundo provas documentais que possuímos, o primeiro grupo a ser formado foi o do Dr. Ramos Nogueira, sob denominação *Grupo Spirita Familiar*.

Em 23 de janeiro de 1881, foi fundado em São Paulo, na cidade de Areias, o *Grupo Espírita Fraternidade Areense* o qual lançou, no mesmo ano, o jornal *União e Crença*, sob a direção do Coronel Joaquim Silvério Monteiro Leite. O próximo grupo instalado de que se tem notícia foi o *Grupo Espírita Luz e Verdade* (segundo o *Reformador* — Seria a *Instituição Espírita Verdade e Luz* a mesma de Batuíra?), sendo seu primeiro Presidente o senhor De Lucca de Strazzari.

a) Três pioneiros espíritas

Espiritualismo Experimental, um dos pioneiros da imprensa espírita paulista.

O segundo periódico espírita surgido comprovadamente em São Paulo foi *Espiritualismo Experimental*, de vida efêmera, e que teve seu último número em setembro de 1886, sob a direção de Santos Cruz Júnior. Seguiu-se o espiritualista *O Evolucionista* e, posteriormente, o grande marco do progresso das idéias espíritas em terra bandeirante, *Verdade e Luz*, editado por Antonio Gonçalves da Silva (1838 – 1909), popularmente conhecido como Batuíra. Sua tiragem, iniciada com 2.000 exemplares, atingiu em 1897 a excepcional quantidade de 15.000 exemplares. Em 1899, sua Tipografia Espírita, bastante onerada, pois o fruto da venda do jornal era todo revertido à assistência social, anunciou a redução da tiragem para os 6.000 exemplares, ainda excepcionais, considerando-se que nem os jornais diários atingiam tal cifra. Em suas páginas deixaram inscritos seus pensamentos grandes pioneiros do Espiritismo: Anália Franco, Ewerton Quadros, Antonio Augusto José da Silva, Edla de Morais Cardoso, Antonio Pinheiro Guedes, Casimiro Cunha e muitos outros.

Enfrentando pesadas críticas de grupos católicos, Batuíra utilizava-se das páginas do *Verdade e Luz* para defender-se e relatar casos espíritas e curas obtidas por seu intermédio. Numa série de cem artigos intitulados *Diversos assuntos oferecidos às Exmas. Damas de Caridade de São Paulo*, em que assinava com o pseudônimo *Ninguém*, relatava suas inúmeras experiências no Centro Espírita.

Reforçando a plêiade de grandes espíritas que viriam reencarnar no Brasil para implantar a semente do Cristianismo Redivivo no começo do

Batuíra

século, após o intimorato propagandista Batuíra, não podemos deixar de citar Anália Emília Franco (1853 – 1919), a Grande Dama da Educação

Jornal publicado por Batuíra, de 1890 a 1909, data de seu desencarne.

Brasileira, espírita convicta, e seu esposo, Francisco Antonio Bastos (1853-1929).

Anália tinha como obra principal a educação das camadas mais pobres da sociedade, meninos e meninas, brancos e negros, e a alfabetização de adultos, tarefa esta filantrópica que estendeu mais tarde a todos os tipos de deserdados da sorte. Para imprimir os métodos educacionais que criara em seu jornal *A Voz Maternal*, a grande educadora instalou com muitas dificuldades uma tipografia que também iria imprimir, a partir de 5 de outubro de 1903, o mensário *A Nova Revelação*, cujo diretor era seu esposo Bastos. Em 1908, o idealista casal começou a editar o periódico *Natalício de Jesus*, órgão da agremiação do mesmo nome, mas que continha matérias doutrinárias espíritas, como o número 2, que compulsamos no *Instituto Histórico e Geográfico de São Paulo*, e que contém a interessante matéria *O Espiritismo no Vaticano aceito pelo Papa Benedito XIII*. No relatório de 1905 de sua *Associação Feminina Beneficente e Instrutiva*, a generosa educadora, filântropa e jornalista, assim se expressou: *A composição de* A Voz Maternal *e do* Manual Educativo *em edições de 11.000 exemplares mensais estão a cargo das alunas tipógrafas que apresentem mais vocação e gosto por essa arte. Nesta oficina acham-se empregadas, além de 12 asiladas, uma vigilante e dois empregados subalternos. Temos feito aquisição este ano de um prelo regular e diversos materiais indispensáveis que importaram*

Publicações de Anália Franco.

em 3.900$000, nos onerando bastante pelo sacrifício enorme que fomos obrigados a fazer, mas que se tornava indispensável para as aulas profissionais que são de grande alcance para uma Instituição como esta. O nosso fim é procurar diminuir cada vez mais em nosso meio a necessidade de esmola, pelo desenvolvimento da educação e do trabalho de que provém o bem-estar e a moralidade das classes pobres.

Anália Franco.

Propugnando sempre pela liberdade de pensamento e imprimindo um caráter de laicidade à *Associação*, Anália Franco deixava a seu esposo Bastos a tarefa de dirigir o *Centro Espírita São Paulo*, o primeiro a promover a unificação dos espíritas e seus Centros no Estado de São Paulo. Anália e Bastos editaram em 1912 (reedições em 1924 – 1932) o interessante opúsculo *Habilitação e Assistência nas Sessões de Espiritismo*, que trazia explicações importantes para a prática do Espiritismo de maneira simples e didática, redigido em forma de perguntas e respostas e representando um excelente veículo de propagação doutrinária para a época de tão escassa bibliografia espiritualista. Seu prefácio bem o definia: *Este Opúsculo de propaganda espírita foi elaborado em maio de 1912, com o único fim de concorrer com seu humilíssimo contingente para fazer adeptos conscientes e convictos das grandes responsabilidades que cabem a todo aquele que assiste a sessões de espiritismo, sejam elas quais forem, mormente as práticas, cujos resultados, em grande parte, dependem dos assistentes com conhecimento da gravidade do ato e da necessidade que há de recolhimento e de um ambiente formado pela homogeneidade de pensamentos e, sobretudo, da necessidade de moral irrepreensível e sincera no desejo de ser útil.*

Os bem-intencionados ficam facilmente certos e convencidos de que terão de dar contas a Deus, toda a vez que forem causas de insucessos e prejudicarem os trabalhos.

Este Opúsculo é para ser distribuído gratuitamente (...)

O casal Bastos e Anália também publicou, em 1916, um compêndio de *Preces Espíritas* extraído de *O Evangelho Segundo o Espiritismo*.

O começo do século em São Paulo iria conhecer algumas publicações de cunho espiritualista que preparavam o terreno para a propagação das idéias espiritistas e outras eminentemente espíritas como *A Defesa* (Taubaté – 1900), *A Verdade* (Capital – 1902), *Noctameron* (São Manoel – 1902), *A Luz da Verdade* (Capital – 1903), mas nenhuma conseguiu superar o que *O Clarim*, fundado no pequeno município de Matão pelo exponencial líder espírita Cairbar Schutel (1868 – 1938), produziu em termos de impacto e de propaganda dos postulados espíritas.

Cairbar Schutel.

Ferrenho defensor dos princípios doutrinários, líder inconteste, cuja fama ultrapassou as fronteiras do país sem nunca as ter cruzado e raramente ter deixado sua trincheira no sertão paulista, Cairbar Schutel fundou em 1905 *O Clarim* que, como ele mesmo concebeu, era para a divulgação da Doutrina junto aos simples e para defendê-la dos ataques do clero. Em 1925, segreda a seu companheiro Luis Carlos Borges desejar dar divulgação a materiais mais aprofundados, científicos, que costumava receber de todo o Brasil e do Exterior. Juntos criaram, então, a *Revista Internacional do Espiritismo* para pessoas mais ilustradas e que, igualmente ao *O Clarim*, existe até hoje espargindo esclarecimento e consolo a todos aqueles que buscam na Doutrina dos Espíritos as realidades da Vida na Outra Dimensão. Em sua época, *O Clarim* tinha edições normais de 10.000 exemplares, mas em algumas épocas, como Finados, chegou a atingir a fabulosa tiragem de 47.000 exemplares!

De espírito culto e uma austeridade revestida de amor, muita capacidade de trabalho, indulgente e caridoso, Cairbar fundou ainda, no mesmo ano de *O Clarim*, o *Centro Espírita Amantes da Pobreza*, e foi um dos pioneiros da divulgação espírita pelo rádio no Estado de São Paulo. As conferências radiofônicas "neo-espiritualistas" foram le-

O Clarim, fundado por Cairbar Schutel em 1905.

vadas ao ar pela Rádio Cultura de Araraquara (PRD-4) de 19 de agosto de 1936 a 2 de maio de 1937 num total de 15, enfeixadas depois em livro sob o mesmo título. Cairbar irradiou também suas conferências na cidade de Sorocaba.

A missão espírita de Cairbar Schutel nunca foi fácil, pois sempre teve oposições fortes do clero da região araraquarense, sede do Bispado, e onde se envolveu em grandes polêmicas religiosas, das quais se saiu muito bem, diga-se de passagem.

Cairbar, a exemplo de Anália, tinha tipografia própria onde editava seus livros e de outros espíritas ilustres.

Com Batuíra, Anália Franco e Cairbar Schutel, esses três grandes missionários, pode-se dizer que a Doutrina Espírita fincou suas bases solidamente no Estado de São Paulo. Outros com certeza foram grandes confrades e deram valiosa colaboração para a difusão das idéias espíritas, mas com o perdão do julgamento, os demais foram coadjuvantes ao lado desses missionários que engrandecem a memória do movimento espírita.

b) O Espiritismo e as outras religiões

São Paulo fazia sua parte. Enquanto no Rio de Janeiro o médico Bezerra de Menezes, desde 1887, iniciara uma série de trabalhos magistrais pelas colunas de *O País* e era o timoneiro do movimento por lá, em terra bandeirante a família espírita se organizava e criava foros de unificação em torno do *Centro Espírita São Paulo* dirigido por Francisco Antonio Bastos, esposo de Anália Franco.

Na esteira dos três grandes, vieram outros valorosos espíritas que, além das atividades afanosas nos Centros, também se dedicaram às lides jornalísticas. Foi época em que despontou, jovem ainda, Pedro de Camargo (1878 – 1966), autocognominando-se Vinícius. Convertido ao Espiritismo em 1900, foi um profícuo cronista e orador que em sua longa vida dedicada à causa espírita deixou páginas magnificamente escritas nas Revistas e Jornais *Reformador*, *O Revelador*, *Leesp*, *O Semeador* e muitos outros, inclusive de Portugal, depois reunidos em livros pela FEB e pela FEESP.

Vinícius.

A maneira rápida com que se intelectualizou a Doutrina Espírita no Brasil, devendo-se isso em muito ao princípio decantado por Kardec de que *Fé raciocinada é aquela que pode encarar a razão face a face em todas as épocas da Humanidade*, curto foi o tempo em que imperou o clima de curiosidade e interesse em torno das mesas girantes, copos e outros objetos que se movimentavam. Novidade pouco duradoura, os praticantes do Espiritismo logo se imbuíram da seriedade da nova religião revelada e buscaram sua divulgação séria através de livros e jornais, numa continuidade intelectual à Obra do Codificador.

Enquanto era relevante o papel da caridade e da educação para os espíritas adeptos de Kardec, uma outra religião, embora tendo a mediunidade como traço comum, apresentava-se à população recém-saída das senzalas para confundir o público leigo. Era a Umbanda e todas suas derivações como quimbanda, candomblé, etc. Kardecismo e Umbanda são formas religiosas de conteúdo cultural e formação histórica totalmente diferentes e, ao longo da história, têm sido comumente tomados como uma coisa só pelos leigos. Vale dizer que a Umbanda incorpora a seus rituais afros práticas católicas, formando um sincretismo inexistente no Espiritismo, cujas denominações *espírita, espiritista, espiritismo* foram cunhadas pelo próprio Codificador para distinguir a Doutrina nascente das demais formas de espiritualismo.

Esclarecemos o fato porque, ao mesmo tempo em que não podemos ignorar a situação, ambas as religiões mediúnicas vêm, desde o fim do século passado, influenciando a sociedade brasileira. Haja vista que somente em 1964, pressionado pelo movimento espírita, o IBGE distinguiu o Kardecismo da Umbanda nos censos brasileiros.

Sob o ponto de vista sociológico, o surgimento do Espiritismo juntamente com a Umbanda e o Protestantismo no cenário religioso do século XIX no Brasil é importante de se analisar, porque proporcionou a mudança de muitos hábitos de uma população acomodada à cartilha dos dogmas do catolicismo. Notadamente o Espiritismo, cujos princípios doutrinários apresentavam explicações coerentes sobre os mistérios do Universo, suas leis imutáveis e da relação do Homem com o Criador. O Espiritismo oferecia, ainda, a um povo dominado e de mente patrulhada, a oportunidade de refletir e preencher as expectativas de um pensamento racional sobre o destino humano, permitindo-se investigações de ordem comprobatória a respeito do próprio fenômeno mediúnico. Com esses requisitos, o Espiritismo encontrou terreno fértil junto a parte da população urbana, insatisfeita com os dogmas

Um dos volumes com a Estatística do "Culto Espírita do Brasil" que o IBGE publicou de 1958 a 1965.

católicos e permeável aos ensinamentos de uma Doutrina que a convidava a pensarem juntos.

Em São Paulo, o Espiritismo expandiu-se para o interior do Estado e o Brasil já podia ser considerado um dos maiores países espíritas do mundo. O cronista carioca João do Rio em seu *As Religiões no Rio* informava que havia, apenas no Rio de Janeiro, em 1890, cem mil espíritas. Afirmativa exagerada, é claro, mesmo se sabendo que o cronista carioca estava considerando todas as portas abertas de cartomantes, videntes, etc., que eram moda na cidade, em seu *recenseamento*. Ao todo, à época, publicavam-se 96 jornais e revistas de divulgação da Doutrina Espírita no mundo, sendo 19 no Brasil, informava também João do Rio. Complementava o cronista a informação, dizendo que entre estes jornais estavam computados apenas os estáveis e que em 1900 foram lançados, em todo o país, 32 jornais e revistas de propaganda espírita de vida efêmera.

É, pois, num ambiente hostil criado pela Igreja que surgem os pioneiros do Espiritismo no Brasil, os quais tiveram de se envolver em muitas polêmicas com padres e beatos para sustentar a chama do ideal espírita acesa. Dizia uma frase de propaganda católica: *O Espiritismo é um abismo encantado; foge ou de lá nunca mais sairás.* A contra-ofensiva católica reforçava-se de argumentos ao ardilosamente colocar o Espiritismo de Kardec no mesmo saco das religiões afro, das feitiçarias e mistificações oportunistas que permeavam abundantes à época. Procuravam abastardar uma Doutrina que nascera pura, fruto de uma Revelação e que nada tinha da inconsciente mistura de mediunismo, catolicismo e práticas fetichistas.

De 1881 até 1910, época em que começou a se solidificar a presença do Kardecismo no Estado de São Paulo, conseguimos catalogar a existência de 13 periódicos genuinamente espíritas, 12 espiritualistas e 6 maçônicos, sendo relacionados estes últimos por terem sempre os maçons andado junto com os espíritas e porque é tradição naquela *Ordem* o abrigo e a defesa dos perseguidos por injustiças. Se por um lado o Espiritismo é uma religião, por outro, a Maçonaria convida a fazer parte de sua Irmandade, de caráter universal, *homens livres e de bons costumes* pertencentes a qualquer religião. Seus ideais republicanos e de liberdade de pensamento eram componentes do burburinho político da época e os espíritas surgiam como um segmento que *afrontava* a religião oficial, que, por sua vez, estava fortemente ligada aos monarquistas. Nesse guisado de posições conflitantes, a presença forte do Positivismo de Comte e Spencer surgia para tentar abalar as estruturas religiosas de um povo insatisfeito com a religião imposta. Sob esse aspecto, tanto o Espiritismo quanto o Positivismo, inconciliáveis doutrinariamente, serviram para sacudir uma sociedade que se tornava submissa aos dois poderes: o de César e o de Deus.

Se os espíritas não se descuravam da propaganda eficiente pela imprensa, igualmente católicos e protestantes. Buscando contribuir para a memória da imprensa paulista, registramos aqui os periódicos dessas religiões que se defrontavam com os espíritas no campo das idéias até o ano de 1910.

Católicos: *A Sentinella, O Catholico* (1876); *A Vanguarda, Monitor Católico* (1879); *O Thabor* (1883); *A Pátria, A União Católica, O Lidador, União Católica* (1890); *Pátria* (1894); *Mocidade* (1895); *Diário de São Paulo* (1898 – político, mas declarando-se simpático e defensor do catolicismo); *O Domingo* (1899); *Santa Cruz* (1900); *O Estandarte Catholico, O Pharol, A Crença, O Propheta* (1901); *O Maná* (1902); *O Mensageiro Parochial da Consolação* (1903); *O Mensageiro Catholico, Semana Catholica, Pequeno Mensageiro* (1903); *A Palavra* (substituiu *O Mensageiro Catholico*), *União Catholica, A Cruz* (1904); *Dom José de Camargo Barros* (1905 – Homenagem/Edição única); *Boa Semente, Boletim da Devoção de São José, O Piratininga* (substituiu *O Estandarte Catholico*), *A Caridade* (1906); *Boa Imprensa, A Reacção* (1907); *Vozes do Carmelo* (1908); *A Lanterna de Diógenes, Gazeta do Povo* (1909); *A Juventude* (1910).

Protestantes: *O Despertador Cristão* (1852); *O Amigo da Religião – Presbiteriano* (1852); *O Missionário Juvenil* (1886); *Revista das Mis-*

sões Nacionais – Presbiteriano, Expositor Cristão (1887); O Arauto (1890); O Estandarte – Presbiteriano Independente (1893); O Juvenil – Metodista, 1º de Maio (1895); A Luz Divina, O Esforço Cristão (1901); O Pendão Presbiteriano (1902); A Tribuna Evangélica (1904); O Esforçador (1905); O Methodista (1908).

Anticlericais: A Lanterna (1901); O Livre Pensador (1902 – suplemento semanal de A Lanterna); O Livre Pensador (1903 – substituiu o anterior sob nova direção); Anticlerical (1905); A Bomba (1908).

Antiprotestantismo: Mixórdia Protestante (começo do século XX).

c) O progresso da Imprensa Espírita nas décadas vinte e trinta

Da fundação do primeiro Centro Espírita no Brasil por Teles de Menezes, em 1865, até a 1ª Grande Guerra Mundial, passaram-se cinqüenta anos. Nesse período, o Espiritismo, aqui introduzido com feições européias, adquiriu peculiaridades próprias sem descaracterizar a Obra do Codificador, mas deu-lhe viço e polimento.

Absorvida a bela Doutrina pelo sangue quente e fraterno do latino, um povo recém-formado, que por suas próprias características aprendeu a conviver sem preconceitos com todas as raças, encontrou no Brasil o campo fértil à sua proliferação. Ao lado da pureza dos ensinamentos de Kardec, o sincretismo rondou em muitas épocas o movimento e não poucos viram-se arrastados pelas correntezas das novidades e seduziram-se por propostas espúrias. Mas como previra o Codificador, se o Espiritismo afrontasse as leis de Deus ele não sobreviveria. Mas ele sobreviveu. O caminho dos vários espiritismos não foram suficientes para apagar o caminho verdadeiro.

A vitalidade da Doutrina Espírita foi posta à prova após o término da 1ª Guerra. Tratava-se de uma época da descrença em valores e de grande sofrimento para a sociedade. Quando o vendaval vai embora, resta o reconstruir da casa destelhada, e nessa renovação de valores o Espiritismo ofereceu-se como o bálsamo para as feridas a se cicatrizar, e a religião tradicional, que não satisfazia, também passou por um repensar da sociedade.

De 1910 a 1930 conseguimos relacionar apenas 8 periódicos espíritas que, com certeza, não refletem o progresso do movimento nessas duas décadas. Destacando-se do período da Guerra, de finanças abaladas e preocupações mais materiais e de sobrevivência, nos anos vinte a família espírita viveu momentos de agitação com o movimento de sua Constituinte e a segunda tentativa de unificação de seus praticantes e instituições. Desta época, podemos destacar o periódico *A Nova Era* fundado em Franca em 1927 por José Marques Garcia e a *Revista Internacional do Espiritismo* de Cairbar Schutel.

Se tomarmos os periódicos vindos a lume como medida para avaliarmos o crescimento do movimento espírita, o que nos parece arriscado, podemos dizer que a década de 30 foi bastante profícua. Pelo menos 20 órgãos nasceram para propagar a Doutrina dos Espíritos nesse período e vários deles sobreviveram muitos anos: *O Mensageiro do Órfão, Alvorada D'Uma Nova Era, O Revelador, Alavanca, Revista da Sociedade Metapsíquica, A Aliança, A Centelha* e outros. Foi a época, também, em que surgiram grandes jornalistas que souberam compreender a importância da divulgação doutrinária pela imprensa escrita. Foram eles, só para citar alguns: Profª Luíza Pessanha C. Branco, Dr. Lameira de Andrade, Sebastião Maggi da Fonseca, Agnelo Morato, Antonio Fernandes, Cesar Burnier, Max Kohleisen, Wenefledo de Toledo, Antonio D'Angelo e outros.

A Nova Era fundado em 1927.

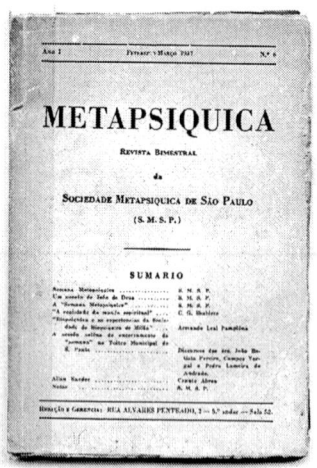

Metapsíquica, Revista em formato de livro que circulou na década de 30.

Um, dentre tantos, destacou-se desde os anos vinte no movimento espírita paulista. Foi o Dr. Silvino Canuto de Abreu, nascido em Taubaté no dia 19/1/1892 e desencarnado em São Paulo no dia 2/5/1980. Formado em Direito e Medicina, foi o grande elo entre os movimentos espíritas francês e brasileiro, amigo de Léon Denis e depositário de muitos documentos que pertenceram ao próprio Codificador e à *Sociedade de Estudos Espíritas de Paris*.

Profundo conhecedor da História do Espiritismo no Brasil e no mundo, escreveu, em 1936, pelas páginas da *Revista*

Metapsíquica, vários artigos abordando fatos ocorridos desde o início da imprensa no Brasil até o ano de 1895, detendo-se com profundeza de detalhes na atuação de Bezerra de Menezes à frente do movimento espírita em nosso país. Pelas colunas do *Jornal Unificação*, publicou a série de artigos *O Livro dos Espíritos e sua Tradição Histórica e Lendária*, de suma importância, e em abril de 1957, por ocasião do I Centenário de lançamento de *O Livro dos Espíritos*, publicou sua tradução da obra em edição bilíngüe.

d) Grande propagação nos anos quarenta

O grande crescimento da propagação do Espiritismo em São Paulo foi acompanhado por sua imprensa que muito contribuiu com essa expansão.

O recenseamento oficial de 1940 assinalava, no Brasil, a existência de 464.400 espíritas suficientemente sinceros para se inscreverem como tais na coluna *religião*. Em São Paulo, o número era de 155.037. Descontando-se os "católicos" indecisos e os que freqüentavam, como sempre aconteceu, outra religião, além do Centro Espírita, notava-se a solidez adquirida pela Doutrina no Estado, deduzindo-se que este número deveria ser bem maior. É interessante de se assinalar que o recenseamento acusa, conforme indicações dos pais, 25.507 "espíritas de 0 a 9 anos" só no Estado de São Paulo e 105.262 em todo o país. Em 1943, o periódico *A Alvorada*, de São João da Boa Vista, número de janeiro–fevereiro declarava: *Somos no Brasil somente cerca de 10.000.000* (dez milhões) *de adeptos do Espiritismo*. Onde teria se baseado o Editor de Jornal para fazer tal assertiva? Era exagero, evidentemente, de um confrade empolgado. As cifras, mais fidedignas, apresentadas pelos *Anais do Primeiro Congresso da União Espírita do Estado de São Paulo* em 1947 davam um número de 771.098 adeptos. Esses eram distribuídos em 500.000 recenseados com certeza, pertencendo a 554 das 733 entidades espíritas organizadas; 33.333 membros de sociedades organizadas, mas não recenseadas; 29.629 extraviados (*sic*) no "espiritismo irregular" (Umbanda). (In *Revista de História*, outubro–dezembro de 1952, páginas 431/433, artigo do Prof. Emile G. Léonard sobre eclesiologia e história social sob título *O Protestantismo Brasileiro*).

O Prof. Léonard considera tais dados mais como desejo do que como boa estatística. E acrescenta: *Entretanto, o número das sociedades espíritas basta para indicar a importância do movimento: O Diário Oficial do Estado registra a existência de 634 de 1936 a 1940; acabamos de ver que, em 1947, o Congresso Espírita revelava a existência de 733.*

E, sem dúvida, as "colunas espíritas" dos periódicos mostram quanta anarquia e desentendimentos há entre elas. Sem dúvida, também, não obstante a antigüidade do movimento no Brasil, não parece que ele tenha ultrapassado o estado de opiniões, a ponto de constituir um corpo sólido que transmita um credo ou experiências de pais e filhos.

Visão equivocada do Prof. Léonard em sua análise sobre o movimento espírita. Faltava-lhe, talvez, informações mais substanciosas para medir a real influência desta sobre a sociedade brasileira, como a notícia da *1ª Concentração Espírita* realizada no Ginásio do Estádio Municipal do Pacaembu, em novembro de 1940, promovida pelo *Centro Espírita 13 de Maio – Luz da Esperança*. Vejamos como o *Jornal da Manhã*, de 26/11/1940, noticia o Evento que lotou o Ginásio com a incrível platéia de 30.000 pessoas, na palavra de seu Presidente, Jacques Mottolá: *Em tempos idos, professar a crença espírita era cousa, indiscutivelmente, perigosa. O estudioso ou o profitente da Doutrina dos Espíritos era considerado candidato ao Hospital de Alienados. Hoje, a marcha ascensional da intelectualidade universal deu um lugar merecido ao Espiritismo, quer como a religião consoladora que é, quer como ciência que nos esclarece de onde viemos, o que somos, qual o nosso destino.*

Sábado último, no Ginásio do Estádio Municipal do Pacaembu, São Paulo reuniu, numa grandiosidade jamais assistida, uma multidão calculada em 30.000 pessoas. A parte interna do Ginásio era um lençol humano, com seus corredores e demais dependências completamente ocupados. Nas partes externas, o povo aglomerado, numa paciência própria dos que amam os Evangelhos, permanecia atento para ouvir pelos alto-falantes instalados o desenrolar da sessão que dentro em pouco se iniciaria. A Concentração do Pacaembu, com tanta felicidade promovida pelo "Centro Espírita 13 de Maio – Luz da Esperança", veio provar ao Brasil quantos são os espíritas, pois os que a ela compareceram foram os representantes mínimos, das centenas de milhares dos mais práticos que, pela inexistência de acomodações para a sua totalidade, se conservaram em seus lares, atentos à irradiação que a querida emissora "Piratininga" faria, como fez, do transcorrer completo da sessão musical doutrinária!

É importante de se frisar que não podemos medir a importância e a influência do Espiritismo no Brasil nesta época simplesmente através dos números dos censos decenais, sob pena de partirmos de uma premissa falsa. A dificuldade em quantificar o contingente espírita advém da duplicidade de filiação ou prática religiosa, pois por razões de preconceito ou prestígio social, principalmente até a metade do século, muitos espíritas declaravam-se católicos aos recenseadores.

Com relação à Imprensa Espírita, além da continuidade de Edição de muitos periódicos surgidos nos anos 30, a década de 40 marcou ou surgimento de muitos intelectuais que ofereceram valiosa contribuição para a disseminação da cultura espírita. Livros de qualidade enriqueceram a bibliografia doutrinária e através de jornais e revistas muito se fez pela divulgação de seus postulados. Mesmo sob pena de cometer injustiças por omissões, relacionamos aqui alguns desses próceres do jornalismo na época: Antonio D'Angelo Neto, Paulo Alves de Godoy, Wandick Freitas, Eduardo Almeida Prado Filho, Herculano Pires, Vinícius, Canuto Abreu, Caetano Mero, Antenor Ramos, Edgard Armond, Julio de Abreu Filho, Emílio Manso Vieira, Romeu do Amaral Camargo, Benedito Godoy Paiva, Agnelo Morato, Jofus, Lins de Vasconcelos, Antonio J. Trindade, Sebastião Luiz Guedes de Souza, Odilon Negrão, Guido del Picchia, José Russo, Wenefledo de Toledo e Carlos G. S. Shalders.

e) Herculano Pires, um capítulo à parte do jornalismo espírita

Falar em jornalismo espírita sem falar em Herculano Pires é o mesmo que ir ao Cairo e não visitar as *Pirâmides* ou a Paris e ignorar o *Louvre*. E para gáudio do movimento espírita paulista, José Herculano Pires reencarnou em São Paulo, na cidade de Avaré, antiga província de Rio Novo, em 25 de setembro de 1914. Seus pais foram o farmacêutico José Correa Pires e a pianista Bonina Amaral Simonetti Pires.

Muito cedo, Herculano Pires já revelava tendência irrefreável para a arte literária, escrevendo seu primeiro soneto aos nove anos. Aos 14 transformou o jornal político de seu

Prof. Herculano Pires proferindo palestra.

pai, *O Porvir*, num hebdomadário literário; aos 16 publicou seu primeiro livro, *Sonhos Azuis*, de contos, e aos 18, *Coração*, apenas de poesias. Sua obra bibliográfica hoje compõe-se de mais 80 obras publicadas e muitos textos inéditos aguardando publicação.

Em Sorocaba, após formar-se no Curso Normal, Herculano iniciou sua carreira profissional no jornalismo no *Correio de Sorocaba* e no *Cruzeiro do Sul*. Em seguida, passou a colaborar com as revistas *A Cigarra* e *A Semana* e com o jornal *O Malho*, todos do Rio de Janeiro e de grande penetração na época.

Educado em família católica, o espírito altamente perquiridor de Herculano Pires o fez viver crises existenciais e procurar soluções para elas na Teosofia, mas só foi preencher o vazio de sua alma com a leitura de *O Livro dos Espíritos*, que passou a estudar sofregamente.

Depois de uma passagem por Marília, a família Pires aportou no ano de 1946 em São Paulo, onde Herculano empregou-se nos *Diários Associados*. Na Redação, passa por todas as funções como deve acontecer na formação do bom jornalista: repórter, redator cronista político, crítico literário e Secretário de Redação. Sua atuação mais destacada, porém, foi na coluna espírita que assinou por vinte anos no *Diário de São Paulo* sob o pseudônimo de Irmão Saulo. Muitos destes textos foram reunidos recentemente em livros editados pela *Editora Correio Fraterno do ABC*, pois permanecem atualíssimos e um guia para as novas gerações de espíritas.

Herculano Pires, Waldo Vieira e Chico Xavier (Extraído de *Herculano Pires, o Apóstolo de Kardec*, de Jorge Rizzini).

Uma personalidade como Herculano Pires mereceria muitas páginas escritas analisando sua obra bibliográfica e profícua existência, no entanto, nos restringiremos, aqui, à sua atuação até a década de 50, motivo deste nosso estudo da imprensa espírita paulista.

Nessa fase, no vigor de sua juventude, Herculano esteve ligado a movimentos culturais no Estado, ajudando a fundar a *União Artística do Interior* com sedes em várias cidades. Apesar de suas intensas atividades doutrinárias, Herculano Pires também achava tempo para se dedicar ao *Instituto Brasileiro de Filosofia*, ao *Instituto Histórico e Geográfico de São Paulo*, ao *Sindicato dos Jornalistas Profissionais do Estado de São Paulo*, do qual foi diretor; tendo ainda presidido o *Instituto Paulista de Parapsicologia*.

No âmbito estritamente espírita, Herculano fundou, em 1970, o *Grupo de Estudos Pedagógicos* juntamente com J. Amaral Simonetti, Frederico Giannini Júnior, Maria de Lourdes A. Ferraz, Merhy Seba e outros, que produziu a *Revista Educação Espírita*.

Uma criação que viria marcar a carreira jornalística de Herculano e que até hoje traz muitas saudades aos espíritas mais antigos e que lhe conheceram os frutos foi o *Clube dos Jornalistas Espíritas*. Vejamos como a *Revista de LEESP* da época, nº 23, Ano II, de fevereiro de 1948, retratou o feliz acontecimento: *Jornalistas profissionais da imprensa diária e de rádio emissoras de São Paulo e escritores que professam o Espiritismo, redatores e colaboradores de órgãos de propaganda doutrinária, reunidos no dia 23 de janeiro do corrente ano, na sede do Sindicato dos Jornalistas Profissionais do Estado de São Paulo, em "mesa redonda", fundaram o "Clube dos Jornalistas Espíritas de São Paulo".*

Em seus Estatutos, acha-se estabelecido que:

- o Clube dos Jornalistas Espíritas de São Paulo constituir-se-á de elementos da imprensa escrita e falada e de escritores que professam o Espiritismo;
- cientes e conscientes os seus membros de que o maior tesouro do ser inteligente está concretizado na luta intemorata em prol da fraternidade

universal, o Clube dos Jornalistas Espíritas de São Paulo, de uma forma geral, patrocinará ou apoiará todos os empreendimentos que tenham por mira a consecução desse nobilitante ideal, estendendo-se ao campo da assistência social;
- poderão ingressar no Clube maiores de 18 anos de ambos os sexos, sem distinção de raça ou nacionalidade, sendo a contribuição mensal de cada membro obrigatória, ficando o *quantum* a critério de cada um e exigindo-se, para o ingresso dos profissionais, carteira profissional; dos escritores, uma obra publicada; dos colaboradores, um artigo publicado;
- o Clube terá uma diretoria para as relações exteriores devendo reger-se, integralmente, pelo sistema de "mesa redonda";
- designará membros-correspondentes em todas as cidades do país e do exterior.

São finalidades do Clube:

a) manter um contato maior entre os jornalistas espíritas;

b) organizar um serviço de colaboração para a imprensa em geral;

c) estabelecer intercâmbio intelectual com todas as organizações congêneres do país e do exterior;

d) organizar um corpo de tradutores;

e) criar um curso de extensão de jornalismo espírita;

f) promover debates da doutrina nos seus três aspectos: científico, filosófico e religioso.

Diretoria Provisória:

Presidente: Dr. Domingues Antonio D'Ângelo Neto; Secretários: Paulo Albes de Godoy e Wandyck Freitas; Tesoureiro: Eduardo de Almeida Prado Filho.

Sede Provisória:

Praça da Sé, 297 – 4º andar – Sala 418 – A (Palacete Santa Helena).

Por todas estas e muitas outras realizações do Professor Herculano Pires, que deixamos aqui de citar, é que o movimento espírita e sua imprensa têm uma dívida de gratidão eterna com este baluarte da Doutrina. Herculano Pires encerrou sua atual missão terrena no dia 8 de março de 1979.

f) Resenha de publicações espíritas e espiritualistas (1881-1910)

UNIÃO E CRENÇA – Areias. Publicação mensal, propriedade do *Grupo Espírita Fraternidade Areense*. Fundado em 24/3/1881. Foram seus Editores: Cel. Joaquim Silvério Monteiro Leite e Alfonso da Távora. Pugnou pela união da família espírita, ao tempo um tanto dividida entre místicos e científicos. Preferiu divulgar o Espiritismo na forma que melhor cabe aos brasileiros: religião.

Dimensões e Formato: 15 × 10, com 4 páginas a 3 colunas.

Primeiro Periódico Espírita paulista.

ESPIRITUALISMO EXPERIMENTAL – Capital. De vida efêmera, o primeiro exemplar circulou em setembro de 1886. Periódico mensal, fundado e dirigido por Francisco dos Santos Cruz Júnior, assim se definia: *órgão consagrado a todos os ramos do conhecimento humano e, especialmente, à Ciência Espírita*. Teve como representante no Rio de Janeiro o português Augusto Elias da Silva, fundador do *Reformador* em 1883.

Dimensões e Formato: 15 × 10, com 18 páginas (média) a 2 colunas.

O EVOLUCIONISTA – Capital. Publicação quinzenal, redigida por Pedro Affonso Junior, Francisco Raphael de Mendonça Júnior, com a colaboração de Arthur de Almeida, Oscar Rosas e outros. Era impresso na Typographia União, Largo S. Francisco nº 4, e mantinha Escritório de Redação à Rua dos Bambus (hoje Visconde do Rio Bran-

Segundo Periódico Espírita paulista.

co), nº 46. Preço da assinatura 1$500 por trimestre. "O Cartão de Visita" (artigo programa) de *O Evolucionista* começa com os seguintes períodos: *No domínio do Cognoscível, vasto é o patrimônio atual da Humanidade, patrimônio que representa o labor titânico de dezenove évos de lutas. Desde o dia memorável em que os princípios da caridade, da liberdade e da igualdade foram proclamados com o sangue de um herói que, n'uma época de obscurantismo, entre um povo ignaro, morreu pelas idéias cujo lábaro desfraldara – desde esse dia o Homem, em todas as esferas de vida, emancipou-se e a luta pelo saber recomeçou, orientada por novos fanais.*

E depois de aludir ao mundo do Incognoscível, e de se referir à alquimia, aos ciclos teológico e metafísico, a Netuno e a vastidão do Pretersensível, ao fio de Ariadne, a hipótese da geração espontânea, a Darwin, Buchner, Birchow, a Juvenal, a Cícero e ainda a Schopenhaueur, o pregador da morte termina por esses três períodos:

*1 – Sendo a Política uma rameira cujos beijos (ao Brasil tão deletérios) todos em nossa pátria experimentam, forçoso é que digamos que as três frações em que aqui se fraccionam, (sic) têm representantes n'*O Evolucionista*; não há pois solidariedade entre nós neste ponto assim como em Filosofia e Literatura.*

2 – Na orquestra imensa da imprensa não é, pois, mais um instrumento que pede ingresso, e sim diversos, cada qual com seu acorde próprio.

3 – Talvez seja um bem porque a uniformidade ressente-se de monotonia e a variedade nos alegra.

Texto: artigos políticos, filosóficos e literários. O primeiro número d'*O Evolucionista* veio a lume a 11 de maio de 1887.

Dimensões e Formato: 23 × 32, com 4 páginas a 3 colunas.

VERDADE E LUZ – Capital. Publicação quinzenal, órgão do espiritualismo científico e de propaganda do Espiritismo, fundado em 25/5/1890 por Antonio Gonçalves da Silva (Batuíra) e que esteve sob sua direção até seu desencarne em 22/1/1909, sendo substituído, não de imediato, pelo Dr. Pedro Lameira de Andrade (1880 – 1938). O próprio Batuíra criou a *Tipografia Espírita* e nos primeiros anos o jornal tinha como pontos de venda duas charutarias na Rua São Bento e Largo do Tesouro, sendo sua arrecadação destinada à assistência social. A princípio, o jornal saía com a tiragem de 2 a 3.000 exemplares, a qual foi crescendo até atingir a fantástica marca de 15.000 exemplares em 1897, diminuída em 1900 para não menos surpreendentes 6.000 exemplares. Nos últimos anos da direção de Batuíra, o *Verdade e Luz* passou a ter o formato de revista e sair mensalmente até dezembro de 1922 quando, já sob a direção de Lameira de Andrade, voltou a ser quinzenal. Completava sua equipe Raul de Almeida Pereira (Secretário) e O. Augusto de Oliveira (Gerente).

As epígrafes adotadas pelo jornal em sua fundação até o ano XVI de sua publicidade eram: *"Sem caridade não há salvação"* e *"Nascer, viver, morrer, renascer ainda e progredir sempre. Tal é a lei"*. No ano XVII, já como hebdomadário da *Instituição Espírita Verdade e Luz*, associação beneficente fundada pelo mesmo Batuíra, foram esses conceitos acrescentados: *Todo o efeito tem uma causa. Todo o efeito inteligente tem uma causa inteligente. A potência da causa inteligente está na razão direta da magnitude do efeito. Não há culto mais elevado que a Verdade.*

Estatutos da Instituição Cristã Beneficente "Verdade e Luz".

É curioso ver como um contemporâneo lúcido e culto, mas mal informado em relação ao Espiritismo, como o historiador Affonso de Freitas, analisava o nosso grande Batuíra: *Antonio Gonçalves da Silva, homem morigerado que em São Paulo conseguiu, após longos anos de trabalho honrado e pertinaz, reunir avultados bens de fortuna, era um espírito crédulo e bom, porém mal orientado, e os 17 anos de jornalismo sectarista absorveu-lhe toda a fortuna com tanto labor acumulada, vindo ele a falecer a 21 de janeiro de 1909 nas vizinhanças da miséria.*

Longe de ser "mal orientado", Batuíra foi, isto sim, um dos próceres do movimento espírita do passado. Admirado até mesmo pelos adversários do Espiritismo, sua fé inabalável aliada à grande extensão de sua obra caritativa e de divulgação da Doutrina Espírita fez dele um grande vulto até hoje admirado pelos espíritas. Escritório e Redação, a princípio, na Rua do Lavapés nº 4, e depois na Rua Espírita, nº 28.

Dimensões e Formato: a princípio 26 × 38, com 4 páginas a 3 colunas e, a partir de 1905, em fascículos de 16 × 22, com 32 páginas a uma coluna.

IL SIMBOLISMO – Capital. *A todas as Lojas Maçônicas do Brasil:* O Simbolismo *publicará com satisfação todas as ações que as Lojas acharem úteis que venha a público como eleições, iniciações, resoluções importantes com respeito à nossa Ordem (...).* Redigido em italiano por seu Diretor Cesare Roncaglia, Grau 33, na cidade de São Paulo. Como todas as publicações maçônicas, trazia matérias espiritualistas e defendia a liberdade de pensamento. Número consultado: 1, de 10/1/1892.

Dimensões e Formato: 30 × 28, com 6 páginas a 2 colunas.

BOLETIM DA GRANDE LOJA DE SÃO PAULO – Capital. Publicação maçônica, surgida quando houve a separação da maçonaria paulista do Grande Oriente do Brasil em 28 maio de 1893, com a volta deste à obediência do GOB, deixou o *Boletim* de existir.

PERDÃO, AMOR E CARIDADE – Franca. Fundado em 1894. Órgão do *Grupo Espírita Esperança e Fé*. Era publicado anualmente e, a partir de 1/9/1896, entrando em nova fase, passou a ser mensal.

HOLOPHOTE – Publicação da Maçonaria de Piracicaba, Órgão da Loja *Capítulo Piracicaba*, número consultado em 1897 (Ano 1, nº 3). Tinha entre seus articulistas: Lucrécio, Lucien, André Vesale, Archangelus, Belzebuth, Procion (Pseudônimos).

O *Holophote* lutava pela liberdade de pensamento e contra o intolerantismo católico e protestante. Outro *Holophote* existiu em 1894 como órgão do *Club Dragões Carnavalescos*.

Dimensões e Formato: 24,5 × 32,5, com 4 páginas a 4 colunas. Tiragem: 2.000 exemplares. Tipografia própria.

ÁLBUM DAS MENINAS – Capital. Revista literária e educativa dedicada às jovens brasileiras e de propriedade e redação de D. Anália Emília Franco – Publicação mensal de distribuição gratuita a todas as escolas públicas do sexo feminino do Estado de São Paulo – Redação: Largo do Arouche, nº 58. A primeira edição, ano primeiro do *Álbum,* apareceu a 30 de abril de 1898. Do seu artigo de apresentação: *Seria supérfluo pôr em relevo as vantagens de uma publicação que possa ser um remédio eficaz contra o estiolamento moral que nos vai produzindo a literatura dos nossos dias, cuja feição mais característica é a ironia mordente, análise fria, dissecação anatômica mais positiva e mais crua. Essa literatura que influi mais do que se pensa na decadência dos costumes, vai lentamente derrocando os alicerces da família. Foi por isso que resolvi fazer uso da imprensa para dar à publicidade esta modesta*

revista intitulada Álbum das Meninas, *expendendo as minhas idéias sobre educação, e procurando traduzir, e mesmo transcrever, tudo quanto os espíritos mais esclarecidos têm escrito sobre este assunto. Ao tomar sobre os ombros essa tarefa de tão magno alcance, não consultei as minhas forças nem a incompetência que em mim reconheço para toda coisa; mas tão somente a convicção que tenho na providência divina, ao amor que consagro às crianças, e ao desejo ardente que tenho de vê-las bem dirigidas e fortalecidas para as provas da liberdade e para os combates da vida. Para esse fim peço e espero o poderoso auxílio de todos que amam o bem, e atribuição do talento e da palavra de outras penas mais competentes e abalizadas do que a minha, que possam com suas luzes e virtudes concorrer para que a educação da mocidade entre definitivamente no caminho (...).*

Muito embora não fosse uma publicação espírita, aqui a relacionamos por ter sido editada por uma das maiores espíritas já reencarnadas no Brasil.

Dimensões e Formato: fascículos de 16 × 23, com 24 páginas a 1 coluna.

REVISTA DA SOCIEDADE PSYCHICA DE SÃO PAULO – Capital. Órgão trimensal, de estudos herméticos – Magnetismo, Esoterismo, Psiquismo, Teosofia, Espiritismo, etc. O primeiro número da Revista, ano I, publicado a 1º de julho de 1899, trazia por epígrafe o seguinte aforismo de Laplace atribuído pela redação a Pascal: *Nous sommea n'éloiguées de connsitre tons les agents de la nature et leurs divera modes d'action, quil serait peu politique de nier Dexistence des phénoménes, seulement parce quils sont inexplicables das Dátat actuel de nos conaissauces.* O segundo e último número distribuído em data de 1º de outubro do citado ano reproduz o mesmo pensamento sob a assinatura de Laplace.

Sede da *Sociedade* e Redação da *Revista*: Rua da Boa Vista nº 42, para onde se dirigia toda a correspondência subscrita a Mlle. Suria Macedo.

A *Sociedade Metapsíquica de São Paulo* era um grupo independente de estudos esotéricos, não estava filiada a Centro ou escola alguma, porém acatava e considerava as opiniões, crenças e credos de todos que se dedicavam aos estudos psíquicos. As colunas de sua *Revista* estavam à disposição dos seus confrades ou contrários que quisessem com suas observações elucidar algum ponto da ciência esotérica, na certeza de que suas idéias seriam respeitadas quando contrárias às da *Associação*, do mesmo modo como se por eles fossem comungadas. Escreviam na *Revista* os cidadãos Júlio Cesar da Silva, Diderot Júnior e C. d'Itália (pseudônimo que não podemos saber a quem pertencesse), Dr. Pinheiro Guedes, R. Tavares e Mlle. Suria Macedo (pseudônimo de escritor e pesquisador de história pátria), Dr. Gentil de Assis Moura. A *Revista* prometia editar-se nos meses de janeiro, abril, junho e outubro de cada ano tendo, porém, publicado apenas os dois números citados.

Dimensões e Formato: fascículos de 16 × 23, com 22 páginas a 1 coluna.

A DEFESA – Taubaté. Órgão Espírita para a defesa da Doutrina, fundado em 15/1/1900 (citado pelo poeta Luiz Feitosa Rodrigues de Corumbá, Mato Grosso, em *Datas Espíritas*, efemérides que organizou, publicadas na *Revista Espírita do Brasil* em 1951).

O FIM DE SÉCULO – Capital. Revista mensal dirigida por Arthur Silva. Primeiro número em 28 de novembro de 1901. O seu programa que a redação chamava de "resumido", era o seguinte: *O nosso programa é resumido, como vasto é o campo das nossas lutas. Desenrolamos a nossa bandeira, e o fazemos com o desejo ardente de trabalhar pela conquista inteira de todas as reformas que visam fins benéficos e salutares a todo o gênero humano. As idéias modernas que têm revolucionado os povos no turbilhão deste findar de século serão tratadas e definidas nestas colunas. Combateremos a favor das idéias político-sociais que buscam a solução do problema social, dispensando ao operariado liberdade e direito. A bem do puro Cristianismo, sob a Teoria de Kardec, também nos propomos pugnar. Guerrearemos os preconceitos do nativismo, como prejudiciais à Pátria e à Humanidade. Batalharemos também pela completa*

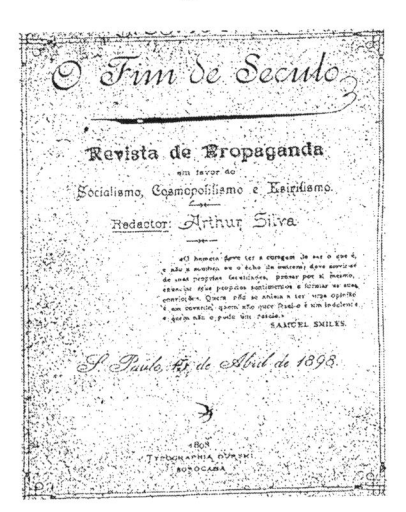

queda da influência dos jesuítas, como nociva à sociedade e à família. É esse o nosso programa.

Dimensões e Formato: folheto de 17 × 24,5 com 16 páginas a 2 colunas.

Noctameron – São Manoel. Publicação mensal citada pelo Reformardor de 15/6/1902, página 4.

JORNAL DE HOMEOPATHIA – Capital. Publicação defensora de um princípio científico, redigido pelo dr. Magalhães Castro e fundada sob os auspícios da *Revista de São Paulo*. Número 1 publicado em junho de 1902 com a justificativa de seu fundador: *O aparecimento do* Jornal de Homeopathia *na enunciação dos programas da nova publicação representa a obrigação e a necessidade imperiosa, ocasional, de procurar evitar a falsa interpretação que muitas vezes dão à palavra "Homeopathia" e reclamar pela integridade do princípio homeopáthico.*

Não pretendendo preencher lacunas, não podendo ser considerado completo e perfeito, ainda assim prestaria serviços aos que recebessem sem prevenção, indicando e afastando abusos diariamente praticados em nome da Homeopatia.

Relacionamos o presente *Jornal* porque a Homeopatia, assim como o Magnetismo, caminharam sempre juntos ao Espiritismo e grandes espíritas como os drs. Militão Pacheco e Alberto Seabra e o médium Batuíra usavam largamente este ramo da Medicina.

Dimensões e Formato: 33 × 50 com 4 páginas a 3 colunas.

O ORIENTE – Capital. Dedicado aos interesses da Maçonaria do Estado de São Paulo tendo por princípios *Liberdade, Igualdade e Fraternidade* e dirigido por Henrique Lopes. Publicação semanal, números consultados 25 (11/12/1903), 98 e 183. Redação provisória: Rua da Fábrica nº 6 (nºˢ 25 a 98). Redação definitiva: Rua Bento Freitas nº 70. Fundação de Henrique Lopes e Diretor-Proprietário Neves Júnior (nº 183).

Dimensão e Formato: 33 × 50, com 4 páginas a 5 colunas.

A VERDADE – Capital. Publicação quinzenal e órgão do *Centro Espírita Deus e Caridade* tinha por epígrafe a sentença de Allan Kardec: *Fora da caridade não há salvação,* e por divisa: *Tolerância, Fraternidade e Humildade.* Toda correspondência de *A Verdade* devia ser dirigida a Henrique Aubertie – Rua 15 de Novembro, nº 3 – 1º andar – Caixa do correio 547. Apareceu o primeiro número de *A Verdade* na 1ª quinzena de abril de 1902. Neste número: "Os mundos imaginários e os mundos reais de Camille Flammarion", em folhetim; "Resumos de sessões espíritas", contando ainda com anúncios comerciais.

Dimensões e Formato: 32 × 47, com 4 páginas a 4 colunas.

JORNAL OFFICIAL – Capital. Órgão do Grande Oriente Estadual de São Paulo, redigido pelo Grande Secretário A. Ferreira Neves Júnior com redação à Rua da Tabatinguera, nº 18. A primeira edição circulou em maio de 1903.

Dimensões e Formato: fascículos de 15,5 × 23,5, com 20 páginas a 1 coluna.

A LUZ DA VERDADE – Capital. Publicação quinzenal de propaganda espírita e órgão do *Centro Espírita Luz e Fraternidade*. Sua divisa *Tolerância, Fraternidade e Harmonia*. Periódico exclusivamente doutrinário. *A Luz* declarava não aceitar colaboração estranha à sua administração. Toda a correspondência devia ser dirigida para a administração à Rua das Flores, nº 56 ou Caixa do Correio nº 231. Na enunciação de seu programa, dizia-se: A Luz *inspirada pelo Pai em todos os artigos e ter por fim único fazer resplandecer em todo o universo, porque esta emana da verdadeira fonte, onde se busca o óbulo para o mendigo, o repouso para o peregrino, enfim onde se busca o bálsamo santo que suaviza todas as dores e conforta o espírito*. A primeira edição, ano primeiro de *A Luz da Verdade*, circulou a 1º de julho de 1903.

Dimensões e Formato: 24 × 33, com 8 páginas a 3 colunas.

A NOVA REVELAÇÃO – Capital. Periódico mensal, órgão do *Centro Espírita São Paulo* publicado sob a gerência de Francisco Antonio Bastos, esposo de Anália Franco. Era do programa *A Nova Revelação*: respeitar as idéias e crenças alheias, não devendo, por isso, a propaganda dos ideais de que era órgão ultrapassar os limites da tolerância. Não fugiria à discussão todas as vezes que esta, visando um fim de utilidade, se mantivesse no terreno seguro do respeito e da boa ordem, mas prometia defender-se dos golpes e ataques imprevistos dos irmãos contrários como o viajor prudente procura abrigar-se, em caminho, do temporal desfeito que o acompanha. Serviram de epígrafe o conceito bíblico: *As palavras que eu vos digo são espírito e vida* (S. João, VI, 64) e a máxima de Allan Kardec: *Fora da caridade não há salvação*. Toda a correspondência destinada a esta publicação devia ser dirigida para a Rua Amaral Gurgel, nº 75. O primeiro número, Ano primeiro de *A Nova Revelação*, foi distribuído em 3 de outubro de 1903. O jornal *Verdade e Paz*, de São Luiz do Maranhão, o cita como circulando em 1906.

Dimensões e Formato: 27 × 39, com 4 páginas a 4 colunas.

REVISTA DA ASSOCIAÇÃO FEMININA – Capital. Fundada em 1/3/1903 por Anália Emília Franco para divulgar as atividades da *Associação Feminina Beneficente e Instrutiva de São Paulo* que mantinha Escolas, Asilos-Creche, Liceus, Cursos Profissionalizantes, etc. Era distribuída no Brasil e no Exterior. Anália Franco alinha-se entre os maiores vultos que o Espiritismo já teve em suas fileiras. Não se tratava, como *A Voz Maternal*, de uma publicação espírita mas era editada pela grande espírita Anália Franco.

A ILUSTRAÇÃO BRASILEIRA – Capital. Publicação quinzenal de Literatura, Teatro, Música, Pintura, Política, Medicina, Jurisprudência, Ciências Ocultas, Indústria, Esportes. Colaboradores de Literatura e Política: Drs. Júlio César da Silva, M. Pio Correia e João Vampré. De Medicina: Drs. Alberto Seabra e Ulisses Paranhos. De música: maestros Luigi Chiaffarelli, João Gomes, Drs. Carlos de Campos e Arthur Ascagni. Redação e Administração: Rua do Quartel, nº 14. Typ. e papelaria de Vanordem & C. A primeira edição de *A Ilustração* apareceu na quinzena de agosto de 1903.

Dimensões e Formato: 30 × 42, com 18 páginas nitidamente impressas a 2 colunas intercaladas de excelentes ilustrações fotográficas.

A VOZ MATERNAL – Capital. Órgão da *Associação Feminina Beneficente e Instrutiva de São Paulo*. Redação e Oficinas a Ladeira do Piques, nº 21. *A Voz Maternal* apareceu em substituição à *Revista da Associação Feminina*, periódico já citado, *pela conveniência que a diretoria da Associação se antolhava da modificação de formato e de programa do primitivo periódico.* Seu primeiro editorial esclareceu: *Devido às grandes despesas com a fundação do Asilo e Creche da Associação Feminina, que estão funcionando na Ladeira do Piques, nº 21, tendo mais de 80 pessoas entre asiladas e crianças na Creche, fomos obrigados a modificar o formato da Revista da Associação Feminina, bem como o seu título. Sendo hoje grandíssimas as despesas com as Escolas Maternais, Escolas Noturnas, Liceu, Creche e o Asilo, onde estão amparadas muitas*

Fundado em 1903, o jornal *A Voz Maternal* cumpriu importante papel na difusão dos ideais da Associação.

viúvas e órfãos, fazemos um apelo aos nossos bondosos para que nos concedam ao menos 2$000 anuais para auxílio da impressão desta Revista.

A Voz Maternal, humilde e modesta como é, tem por intuito tratar assuntos concernentes à *Associação Feminina Beneficente e Instrutiva* e da educação das classes desvalidas.

Circulou pela primeira vez *A Voz Maternal* a 1º de dezembro de 1903.

Dimensões e Formato: 23,5 × 33, com 16 páginas a 2 colunas.

A REFORMA – Capital. Publicação semanal, órgão maçônico de propriedade de Guilherme Dias Filho e Cia. Escritório de redação: Rua do Quartel, nº 20. Nem sempre foi *A Reforma* jornal paulista, fundado em 1896 no Rio Grande do Sul, transferiu-se em meados de 1901 para Santo Antonio de Machado/MG, e em seu ano VI, em 28/1/1904 começou a circular em São Paulo. Durante o *Congresso Maçônico* reunido na Capital de 22 a 24/2/1904, *A Reforma* circulou com suplementos diários relatando as sessões então realizadas.

Dimensões e Formato: 39 × 52, com 4 páginas a 6 colunas.

O MUNDO OCULTO – Campinas. Órgão mensal da *Sociedade de Estudos Psíquicos Mundo Oculto*, o *Reformador* de julho de 1969 o cita no Centenário da Imprensa Espírita. *A Voz Maternal* igualmente fala dele em seu nº 11, de outubro de 1904, acusando seu recebimento neste e em outros números. Também é citado por Batuíra em *Verdade e Luz* de 31/4/1907. Seu Redator era Antonio B. Vieira e a Redação na Rua Barão de Jaguara, nº 74. Em 1906, saiu seu nº 18 (*Reformador*).

O ALVIÃO – Taubaté. *Revista científico-filosófica do espiritismo*. Publicação quinzenal redigida por Ernesto Penteado. Escritório de Redação à Rua Dr. Falcão, nº 18. *O Alvião* tinha por norma e ação: *Não esmorecer na luta*, e por divisa: *Tudo pelo bem*. O primeiro número apareceu a 10 de fevereiro de 1904 prevendo os seguintes editarem-se a 10 e 25 de cada mês. O artigo de apresentação de *O Alvião*, longo, de quase uma página, começava pelo seguinte período: *Despertemo-los! Já é tempo! Arranquemo-los desse sono que os vai comprometendo, dessa indiferença para com aquilo que devia ser o objeto constante da sua mentalidade! Corramos ao encontro desses infelizes irmãos que, enterrados na matéria, escravos nos gozos da carne, vão consumindo a sua existência – uns esquecidos dos seus sagrados deveres; outros por ignorarem a razão da sua estada na terra. Aos primeiros lembremos as suas obrigações; aos segundos abramos os olhos de sua alma!* Visando esse alvo, sai *O Alvião*, título que por si só já é um programa.

Affonso de Freitas não registrou a cidade onde era impresso *O Alvião*, mas sabemos ter sido em Taubaté, pois seu diretor, Ernesto Penteado, grande lidador espírita das primeiras horas, residia nessa cidade. No entanto, o *Reformador* registra um *O Alvião* surgido antes em 1900 (seria o mesmo?). Clóvis Ramos escreve que outras fontes dão como data de sua fundação 27/3/1906. De todos esses registros, acreditamos ser o mais fiel o do insígne historiador Freitas, pois vemos Ernesto Penteado e *O Alvião* citado diversas vezes em *A Voz Maternal* (Anália Franco), *O Clarim* (Cairbar Schutel) e *Verdade e Luz* (Batuíra).

Pelas páginas de *O Alvião* Cairbar Schutel travou uma de suas célebres polêmicas desta vez com o Padre Antonio B. de Camargo, que *cutucou a onça com vara curta*, como diria o matuto do Sertão, ao enviar um folheto ao jornalista matonense contendo críticas ao Espiritismo.

Dimensões e Formato: 24 × 32, com 4 páginas a 4 colunas.

O LÓTUS – Capital. O *Instituto Histórico e Geográfico de São Paulo* possui o nº 1 desta Revista que se anunciava mensal, publicada em julho de 1904. Era dirigida por Milton Cruz, tendo por redator Dario Velloso, conhecido maçom, espiritualista e lente de História e Geografia em Curitiba. É Velloso quem publica o interessante artigo "O Neo-Espiritualismo e as Correntes Tradicionais" que dá uma visão global interessante das correntes espiritualistas mais seguidas no começo do século na Europa. Eis seu texto: *A Renascença das "Ciências Malditas", intensificada pelos estudos, experimentações e rebuscamentos do "Grupo Independente de Estudos Esotéricos" (de Paris) vai se dilatando por terras da América, expandindo-se nos domínios da Arte, da Literatura.*

Os investigadores isolados (raras exceções se contam) têm-se reunido em Centros esotéricos filiados ao Grupo; as origens da Cabala, a Alquimia, o Magismo, a Astrologia, a Teurgia – reconstituem-se na corrente ancestral da Tradição Cristã e solda novamente os anéis; "Nas Ordens de Cavalaria" retornam guiões simbólicos, propagando e defendendo o "Neocristianismo", em generoso "elance" espiritualista — fora todos os sectarismos – para Jesus legado ao Ocidente, norma de paz dos verdadeiros Iniciados.

Enquanto os ocultistas cavaleiros do Cristo se agrupavam com Papus, Barlet, de Guaita, Sédir Castellot, e irradiando-se pela França, pela Europa, pela América, a "Sociedade Teosófica" estabelecida no Ocidente por Madame Blavatsky ramificava-se na América e alcançava a Espanha, a França e a Inglaterra estabelecendo a "Corrente Oriental", diretamente trazida das Índias, o perfil de Buda aureolado magnificamente.

Ocultistas e Teósofos possuem a chave da Tradição: uns, agrupados em torno do Cristo; outros, de Buda – divergindo apenas em pontos filosóficos da Doutrina —, orientam-se para supremos Ideais espiritualistas, para a fraternidade universal, para a Paz.

As duas correntes – Budismo e Cristã –, paralelas, tendem a se aproximar fundindo-se numa aliança vitoriosa.

Ernesto Bosc, em sua "Vida Esotérica de Jesus de Nazareth" eflora afinidades e tenta reuni-las; Luiz Jacolliot demonstrou a identidade das legendas de "Krishna e Cristo"; transcreveu-as Eliphas Levy, outras tentativas têm sido feitas para consagrá-los num mesmo templo à Humanidade, a fim de orientá-las para o BEM.

Aliadas às duas individualidades, uma única e só religião estreitará o Oriente e o Ocidente para a Civilização, para o Amor dado à Infância e Juventude à educação gloriosa e vivente das mais avançadas populações helênicas – a vida será um hino, um cântico sem soluços, sem agonias;

porque a Humanidade será forte e sadia, unificada pela fé, volvida para a Natureza imortal, as gerações avançando belas e rútilas – para o Futuro! – através da alacridade meridiana de uma paisagem grega.

REVISTA MODERNA – Capital. Publicação mensal de Literatura, Teatro, Música, Política, Medicina, Jurisprudência, Religião, Ciências Ocultas, Indústria, Esporte, dirigida por Gustavo Osório. Redação e Administração: Rua da Moóca, nº 92. Tipografia Vanorden & Comp. O número 2, distribuído em setembro de 1905, estampa excelente retrato do Conde de Prates.

Dimensões e Formato: fascículos de 24 × 32, com 28 páginas a 2 colunas.

O CLARIM – Matão. Criado em 15/8/1905 pelo grande *Bandeirante do Espiritismo* Cairbar Schutel, um mês após a fundação do *Centro Espírita Amantes da Pobreza*. Até 1907, quando adquiriu tipografia própria, *O Clarim* era impresso em Taubaté por Francisco Veloso e Ernesto Penteado (diretor de *O Alvião*). Com quase 100 anos de existência, *O Clarim* apenas uma vez deixou de circular. A tiragem normal era de 10.000 exemplares semanais, mas em épocas de dificuldades o jornal circulava quinzenal ou mensalmente. De algumas edições especiais chegaram a ser tirados até 47.000 exemplares, principalmente na época dos Finados, quando Cairbar os enviava a espíritas de diversas cidades do Brasil e do Exterior para serem distribuídos gratuitamente nos cemitérios. Para manter *O Clarim* e, posteriormente, *A Revista Internacional do Espiritismo* (1925), Schutel revelou-se, acima de tudo, um previdente empresário, montando uma boa equipe de representantes que viajavam vendendo assinaturas e fazendo as devidas cobranças. Dentre seus colaboradores estavam João Leão Pitta (Piracicaba), Mariano Rango D'Aragona (Rio de Janeiro), Umberto Brussolo (São Paulo), João Fusco (Rio Preto) e outros. Após o desencarne de Cairbar Schutel em 1938, outros diretores mantiveram vivo o ideal de seu criador: José da Cunha, José da Costa Filho, Wallace Leal Rodrigues, Antoninha

Perche, Watson Campello, Italo Ferreira, Joaquim Alves, Carlos Vital Olson, sendo atualmente seu responsável o confrade Aparecido O. Belvedere. A Redação funcionava à época de Cairbar, à Rua Rui Barbosa, esquina com Av. 28 de Agosto.

Dimensões e Formato: 28 × 38, com 4 páginas, tendo ao longo de sua profícua existência mudado o formato algumas vezes. Atualmente sai do prelo com 8 páginas e tem tiragem de 5.000 exemplares coloridos.

O PENSAMENTO – Capital. Revista mensal mantida pela *Biblioteca Psíquica Paulista* e dirigida por Antonio Olívio Rodrigues. Redação à Rua da Glória, nº 2-B. Tratava de curas magnéticas e de todas as questões que se relacionassem com o Psiquismo em geral: Tratamento das moléstias a distância, Terapêutica sugestiva, Magnetismo pessoal, Astrologia, Clarividência, Psicometria, Espiritismo e tudo que dissesse respeito ao desenvolvimento das altas forças latentes no gênero humano. *Sem embargo deste programa a todo exclusivista,* declarava *O Pensamento*, em seu artigo de apresentação, *não se achar filiado a qualquer seita religiosa ou científica e que o intuito único que nos leva à publicidade é o de fornecer leitura útil e prática sobre tudo que se relacione com o magnetismo.* A primeira edição, ano primeiro de *O Pensamento*, foi distribuída em dezembro de 1907.

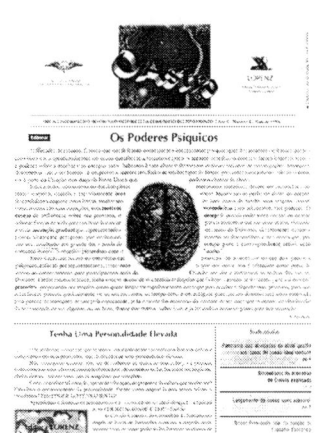

O ASTRO – Capital. Publicação, a princípio, suplemento à revista mensal ilustrada *O Pensamento* e, em 1915, órgão de combate independente, científico e noticioso, de distribuição mensal gratuita. Redação, Administração e Oficinas, em 1908, à Rua Senador Feijó, nº 1-A, e atualmente à Rua Rodrigo Silva, nº 40.

Dimensões e Formato: 24 × 32, com 4 páginas a 3 colunas (inicial).

Em data que se não é possível precisar com exatidão, foi *O Pensamento* substituído na imprensa pelo *O Astro*, cujas primeiras edições aparecem com a feição de suplemento do órgão da *Biblioteca Psíquica Paulista*. Posteriormente voltou a este nome e é editado até os dias de hoje.

Dimensões e Formato: fascículos de 13 × 28, com 16 páginas a uma coluna.

A NOVA LUZ – Guaratinguetá. Hebdomadário citado por Batuíra em 3/4/1907 na Revista *Verdade e Luz* e do qual não obtivemos mais informações.

NATALÍCIO DE JESUS – Capital. Publicação religiosa, órgão da agremiação *Natalício de Jesus*, dirigida por Francisco Antonio Bastos e Anália Franco. Toda a correspondência devia ser dirigida para a Ladeira do Piques, nº 17, escritório da Redação. O número que consultamos no *Instituto Histórico e Geográfico,* nº 2, de 1-6-1908, contém a bela poesia de João de Deus (em vida) intitulada *Pai Nosso*, do livro *Campos de Flores*. O artigo "A Imprensa e o suicídio", de Oswaldo, traz referências a Léon Denis e em "O Espiritismo no Vaticano aceito pelo papa Benedito XIII", o jornal revela a profissão de fé de seus redatores.

Dimensões e Formato: 24 x 32, com 4 páginas a 2 colunas.

O REVELADOR – Capital. Órgão do *Centro Espírita Amor ao Próximo*, é citado em *A Voz Maternal* nº 58 do ano 1908, página 7.

O CLARIM DA LUZ – Sorocaba. Também citado em *A Voz Maternal* nº 58 em 1908.

O ORÁCULO – Provavelmente impresso e redigido na Capital, era de propriedade de Bráulio Prego e Cia., citado em a *Voz Maternal* nº 61, página 6, em 1909. Escrito pelo Prof. Bráulio Prego, propunha-se a tratar do Magnetismo, Educação Física, Espiritualismo, etc.

A MAÇONARIA NO ESTADO DE SÃO PAULO – Capital. Revista fundada provavelmente em 1910, tendo por proprietário Antonio Giusti, Redação à Rua da Glória, nº 129 e Caixa Postal 535. O periódico trazia notícias, decretos, atas, relatórios de filantropia, prestações de contas, artigos dos Graus Filosóficos e defendia a liberdade de culto e de pensamento. Números consultados: janeiro e setembro de 1915.

Dimensões e Formato: 24 × 32, com 12 páginas a 2 colunas e capas em cartolina.

Capítulo 3
Fatos, Fotos e Personagens

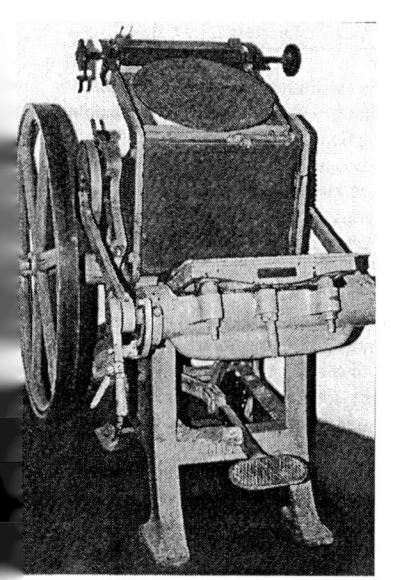

Primeira máquina tipográfica de *O Clarim*, de Cairbar Schutel.

a) Batuíra – *Verdade e Luz* (1838 – 1909)
b) Anália Emília Franco, a Grande Dama da Educação Brasileira (1853 – 1919)
c) Jornal *Perdão, Amor e Caridade* (1894)
d) Jornal *O Alvião* (1904)
e) Cairbar Schutel, o Bandeirante do Espiritismo (1868 – 1938)
f) Umberto Brussolo – A divulgação através das Artes (1877 – 1938)
g) João Leão Pitta (1875 – 1958)
h) Associação de Propaganda Espírita do Estado de São Paulo
i) Grande Concentração de Jornalistas e Intelectuais Espíritas
j) Prévia do 1º Congresso Espírita Brasileiro
k) Vinte mil espíritas reunidos no Pacaembu
l) Resenha de publicações espíritas (1910 – 1951)

a) Batuíra – *Verdade e Luz* (1838 – 1909)

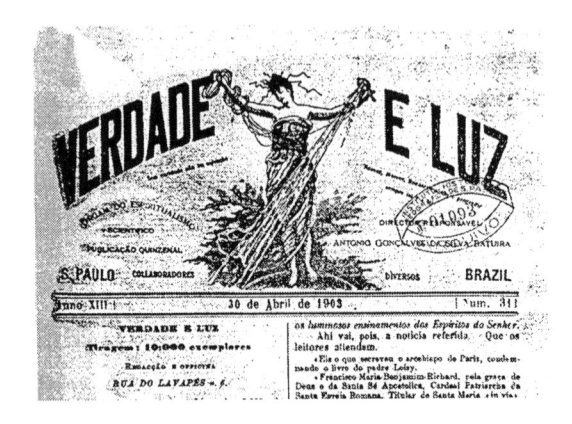

A cidade de São Paulo do final do século passado e início do século XX teve na figura de Batuíra um de seus habitantes mais ilustres.

Espírita convicto, impressionou a sociedade da época por sua obra caritativa e desapego aos bens materiais. Seu pioneiro jornal, o *Verdade e Luz*, com tiragens de até 15 mil exemplares, foi verdadeiro defensor do Espiritismo contra os ataques do clero.

Era ele tipógrafo, redator, repórter e vendedor do periódico que fundou ao adquirir, às próprias expensas, uma tipografia que denominou *Tipografia Espírita*.

* * * * *

"Sendo o nosso periódico de propaganda do Espiritismo, e por isso da religião cristã, declaramos aos nossos rivais que o receberem, não serão considerados assinantes sem que espontaneamente enviem a esta redação e, por isso, dispensados de devolver os que tiverem recebido.

Só desejamos ser auxiliados por aqueles que aceitarem ou simpatizarem com a nossa doutrina, e é só destes que esperamos proteção. Entendemos que as doutrinas devam ser sustentadas somente pelos seus adeptos."

Assina-se na Rua Independência nº 4 (antiga Lavapés). Preço da assinatura até 31 de dezembro de 1890: 2.000 réis.

O pioneiro e a pedra

"Um grande sorriso para os obstáculos. O pioneiro sorri para a pedra e remove-a, para que a estrada apareça."

Batuíra/Chico Xavier
Mais Luz

*****

"O tempo, na terra, é uma bênção emprestada."

Batuíra/Chico Xavier
Dicionário da Alma

b) Anália Emília Franco, a Grande Dama da Educação Brasileira (1853 – 1919)

Anália Franco.

Anália Franco, uma mulher ousada que viveu além de seu tempo ao realizar uma obra educacional e filantrópica sem parâmetros, que proporcionou benefícios para milhares de órfãos, viúvas, crianças desamparadas e toda gama de desprotegidos da sorte, foi uma intelectual espírita que também se dedicou à imprensa no fim do século XIX e início do XX.

Criadora da *Associação Feminina Beneficente e Instrutiva* em 1901, mais de cem outras Escolas e Entidades filantrópicas surgiram por suas mãos ou sob sua inspiração, as quais tinham, como uma de suas fontes de renda, um *Grupo Dramático-Musical* e uma *Banda Feminina*. Formados por suas alunas, excursionavam pelo interior de São Paulo e outros Estados arrecadando fundos para as obras de Anália.

Sua Revista *Álbum das Meninas* (1898 – 1900) não tinha o caráter espírita mas circulou numa época em que, provavelmente, a cognominada *Grande Dama da Educação Brasileira* estava se convertendo ao Espiritismo.

A Voz Maternal era um jornal de divulgação de suas obras, mas que já trazia artigos espíritas e notícias do movimento.

Banda feminina da Associação.

*****

Obras sobre Espiritismo de Anália Franco e seu esposo Francisco Bastos:
- *As Preleções de Jesus* (1901).
- *Habilitação à Assistência das Sessões Práticas de Espiritismo* – em co-autoria com o marido, Francisco Bastos (1912, reeditado em 1924 e 1932).
- *Compêndio de Preces* – dedicado à Humanidade em geral, em especial aos que sofrem, extraído de *O Evangelho Segundo o Espiritismo* (1916, tipografia da Colônia Regeneradora).

*****

"Povo brasileiro, a tua causa é a da Educação porque só ela é que pode aperfeiçoar a saúde, a moralização e o trabalho dos teus filhos, o que lhes há de permitir amealhar patrimônio, fundar família, envelhecer no remanso da paz, morrer nos braços da felicidade. Fonte inesgotável, onde se vai buscar não só a pureza da linguagem, mas o sentimento, a poesia, a tradição, o amor nacional, a riqueza, o tributo de sangue, o trabalho, tudo o que há de grande. Coopera para o progresso esforçando-se especialmente para a tua instrução, não só pela glória do Brasil, não só pela civilização sul-americana, mas também por necessidade própria, porque se a Humanidade é nossa irmã, a Pátria é nossa Mãe."

Anália Franco (Limeira, 19/7/1908)

*****

"Um filho, por mais trabalho que reclame, é sempre uma bênção da vida."

Anália Franco/Chico Xavier
Praça da Amizade

c) Jornal *Perdão, Amor e Caridade* (1894)

O *Almanaque Histórico de Franca*, de Eufrasino Moreira e Higino do Nascimento, relata que o Espiritismo foi introduzido na cidade por volta de 1880. No capítulo que traz as memórias do Desembargador José Afonso de Carvalho, há informações contraditórias sobre os primeiros jornais espíritas francanos, conforme descreve Agnelo Morato em seu *Subsídios para a História do Espiritismo em Franca*: *No item em que o referido narrador faz referências aos jornais editados todos em Franca, no último quartel do século XIX, temos a informação de que havia dois jornais da seita espírita* (sic). Eram Castigo-Ódio-Perdão 2 *(acolitado pela Loja Maçônica "Emílio Zola") e o* Perdão-Amor e Caridade, *como a reparar o título do primeiro.*

O jornal *Perdão, Amor e Caridade, Orgam do Grupo Spírita Esperança e Fé*, no número que temos em mãos (1º de julho de 1897), não traz o nome de seus editores ou articulistas mas, segundo Morato, tratavam-se de Manuel Froember, Guilherme Voss e Prof. Manoel Malheiros. O jornal tinha tipografia própria.

*****

O Spiritismo é a fonte donde sai a água pura, porque esta fonte é o Christo. (cabeçalho)

Estudai, praticae e assim sereis habilitado para julgar o Spiritismo. (cabeçalho)

No 1º número que publicamos em 1º de setembro pps. dissemos em nosso programma: "... Nosso Jornal, será dividido em artigos, conselhos moraes dos espíritos e trabalho do grupo que possa trazer luz a ensinar a verdade, e transcripções de pontos doutrinários.

"Não nos afastaremos das verdades spiritas; procuraremos harmonisar o nosso Jornal a respeitar todas as crenças por conhecermos que se estamos com a verdade, os mais por sua vez, tem o direito de julgar-se estar com ella; e só pela discussão fundada na boa lógica, estribada no amor, na caridade e humildade, é que poderá sair a luz a provocar o estudo e nascer o desejo de a obter para ficar na verdade.

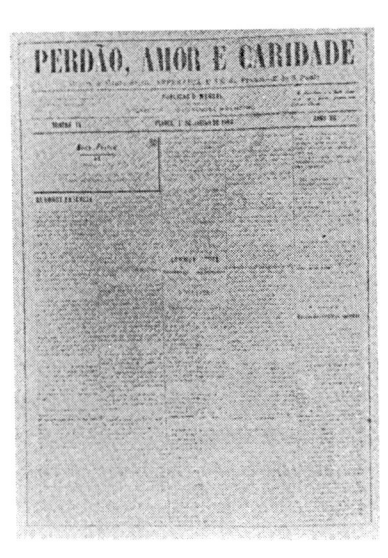

"Não usaremos a linguagem recheada de flores de rethorica, mas sim, simples a bem ser comprehendida pelas classes menos favorecidas d'instrução.

"Perdoaremos e oraremos pelos que nos ferirem; quer em palavras ou escriptos, quer procurem cobrir-nos de ridículo; para esses responderemos com a boa lógica empregando armas invencíveis dadas por Jesus – humilde na resposta, amor no tractar e caridade em saber perdoar.

"A redacção é solidaria no artigo de fundo, nos conselhos moraes e trabalhos do Grupo, que irão em sessão especial.

"Os artigos que forem na sessão – INTUIÇÃO – serão debaixo da responsabilidade de seus signatários; nada tendo a redacção com elles, por serem recebidos em particular por intuição de irmãos que assumem a responsabilidade.

Movimento espírita de Franca.

"Offerecemos um espaço em nosso Jornal para os que quiserem nos refutar qualquer ponto, porque da discussão nascerá a luz, com tanto que seja assignada essa refutação para que o público possa contrabalançar de que lado está a verdade (...)"

*****

COMMUNICAÇÃO

Da Sociedade Spirita "Religião e Sciencia," de S. Paulo, recebemos a poesia, que abaixo transcrevemos, dada espontaneamente pelo Dr. José Bonifácio de Andrade e Silva, na sessão realizada a 20 de novembro de 1886.

(MEDIUM H. DE C.)

Dos homens na voragem mergulhado
Amei dos homens a inconstante sorte;
Fui aos poucos morrendo arrebatado
Por outra vida que se chama – morte.

Transpuz lavíos caminhos; vi paisagens
Onde a dor se abraçava às alegrias,
E de minh'alma as célicas miragens
Sentiram muita vez as ironias...

– As ironias cruas da ignorância
– lama da terra – orgulho transformado!...,
Fui aos poucos morrendo qual fragância
De flôr que habita ao longo algum vallado.
José Bonifácio.
S. Paulo, 29-11-1886.

d) Jornal *O Alvião* (1904)

No exemplar que temos em mãos, de 3 de dezembro de 1905, nº 37, *O Alvião, Folha de Propaganda do Espiritualismo Scientífico – Philosophico*, estampa em sua apresentação sua excelente tiragem: "3.500 exemplares com circulação em 18 Estados do Brasil".

Colaboradores:

Raul dos Guimarães Peixoto, Prof. Francisco do Nascimento, Prof. Vento Siqueria, Casemiro Cunha, Dr. Hilasio Figueira, Prof. Ernesto Castro, Edgard Caldas, Antonio Gomes Vieira, Paes Saulo, Affonso Costa, Garcia Junior, Dr. Pinheiro Shedes, Agrippino Usado, Lourenço de Souza, Cairbar Schutel e Antonio de Sousa Bentim.

*****

Aviso

Dentro das raias do moderno espiritualismo, os colaboradores d'*O Alvião* gozam de plena liberdade, podendo expandir suas idéias livremente. Será, porém, cerceada essa liberdade aos que prevaricarem contra as leis do Amor, recorrendo às diatribes em seus escriptos.

Ética espírita no passado

TYP. – NORTE DE S. PAULO

Com o novo prelo, declaramos aos nossos amigos e confrades que estamos em condições de fazer em nossa typographia – Norte de S. Paulo – todo e qualquer trabalho referente à arte, tais como facturas commerciaes em diversas cores, talões de recibos, jornaes de pequeno formato, livros, estatutos de sociedades, circulares, etc., etc.

Como não ambicionamos mais do que o necessário para viver modesta, mas honradamente da nossa arte, não exhorbitamos nos preços e nem seremos exigentes no pagamento, uma vez que todas as nossas transações são com pessoas que adoptando o Spiritismo, não podem transigir com os seus deveres sociaes.

*****

(Curiosidade) Carta aberta

Do grupo *Deus, Amor e Caridade*, de Porto Novo do Cunha, recebemos a carta-offício que abaixo publicamos sem precede-la dalgumas considerações.

"Porto Novo do Cunha, Minas.

Amigo e irmão Ernesto:

Levo ao vosso conhecimento que o nosso grupo vae dia a dia prosperando. Já contamos muitos médiuns e grande número de crentes que vão assistir as nossas sessões.

A 13 de novembro, em casa de residência do nosso confrade José de Moraes, houve muitas profissões de fé ou baptismo. Professaram publicamente, isto é, perante os seus irmãos, os seguintes senhores: José de Moraes, Raymundo de Moraes, D. Ernestina, Alice e Esther. Exerceram o seu grandioso mandatum, na qualidade de médiuns, os irmãos Domingos Chaves e Eurípedes de Oliveira.

O espiritismo caminha!

Do vosso irmão

Olympio Marçal da Silva."

e) Cairbar Schutel, o Bandeirante do Espiritismo (1868 – 1938)

Grandes dificuldades enfrentaram os primeiros do Espiritismo em São Paulo ao lado de Batuíra. Cairbar Schutel foi o grande defensor pela imprensa da Doutrina que procurava se afirmar em nosso Estado. Inicialmente tendo por tribuna *O Mattão*, jornal leigo da cidade de Matão, Cairbar defendia-se do clero local, mas logo decidiu criar seu próprio periódico, nascendo então *O Clarim*, em 15 de agosto de 1905. Até montar sua própria tipografia em 1907, *O Clarim* era impresso na *Typhografia Norte de São Paulo*, na cidade de Taubaté, do não menos intrépido primeiro espírita Ernesto Penteado.

"(...) Enxugar lágrimas, prover as necessidades de nossos irmãos, consolar os aflitos, em suma, traduzir Jesus em nossos atos, ainda e sempre são princípios de nosso ideal cristão que nos cabe atender, a fim de que não sejamos desatendidos. (...)"

(Trecho da carta psicográfica de Cairbar Schutel para Rafael Medina, de Araraquara, recebida em 16/6/1954 por Chico Xavier.)

Cairbar Schutel também escrevia à época em *O Alvião*, de Penteado, e *O Alpha*, de Rio Claro, travando, principalmente, polêmicas com católicos que depois foram transpostas para livros.

Em janeiro de 1925, surge a *Revista Internacional do Espiritismo*, sonho acalentado por muitos anos por Cairbar e que recebeu grande auxílio de Luiz Carlos de Oliveira Borges e sua esposa Maria Elisa para sua fundação e manutenção.

Foto rara mostrando Cairbar ao centro.

Conferências radiofônicas

Também na divulgação espírita pelo rádio, Cairbar Schutel foi um dos pioneiros. De 19 de agosto de 1936 a 2 de maio de 1937, Cairbar irradiou 15 conferências "Neo-Espiritualistas" pela Rádio Cultura de Araraquara (PRD-4), enfeixadas posteriormente em livro sob o mesmo título.

Schutel em sua farmácia.

Centro Espírita Amantes da Pobreza.

"A Felicidade não está nas cousas exteriores, nos thesouros da terra, nas glórias mundanas, mas sim nas acquisições que fazemos no progresso intelectual e moral que realizamos, nos conhecimentos espirituaes que conquistamos.

O Espiritismo veiu nos ensinar os meios para adquirirmos a felicidade. Expuzemol-o em suas linhas geraes, numa synthese immortalista. Cabe aos leitores melhor estudar os seus postulados e, se possível, melhor do que nós cultivarem essa Árvore bendita que os nossos maioraes chamam da vida, para terem a vida eterna."

(Do prefácio do livro *Conferências Radiofônicas*.)

*****

"Vivi, vivo e viverei, porque sou imortal."

(Inscrição na lápide de Cairbar Schutel)

Cairbar Schutel entre túmulos no Cemitério do Matão.

f) Umberto Brussolo – A divulgação através das Artes (1877 – 1938)

As artes como forma de expressão podem ser valiosas aliadas dentro da comunicação espírita.

Provavelmente terá sido Umberto Brussolo um dos pioneiros e protagonistas das primeiras exibições teatrais genuinamente espíritas no Brasil. É o que deduzimos após compulsar dezenas de publicações espíritas desde o século XIX.

Brussolo fundou em 1917, em São Paulo, o *Centro Espírita Luz e Caridade*, que funciona até os dias de hoje, em novo endereço, no bairro da Moóca, em São Paulo. Foi o primeiro espírita a vislumbrar nas artes cênicas um grande canal de divulgação doutrinária e se tornou um entusiasta dessa forma de manifestação artística. O próprio Brussolo escrevia as peças de conteúdo espírita, as dirigia e preparava os atores amadores. Também idealizava os cenários e figurinos com competência e dedicação ao ideal espírita.

No recuado ano de 1919, Brussolo encenou *O Ressurgir de uma alma*, sua primeira peça, seguida de muitas outras.

Umberto Brussolo entre familiares.

Propaganda espírita

"Realiza-se hoje, às 20:00 h, no Theatro Guarany, e sito no Largo do Cambucy, 21, um espetáculo de propaganda espírita, sobre os auspícios do Jornal *O Clarim*, da *Revista Internacional do Espiritismo* e dos Centros Espíritas *Luz e Caridade* e *Virgem de Orleans*.

Por amadores do Centro Espírita *Luz e Caridade* será representado o drama *Os Mortos Falam* constituindo a Segunda parte do programa, discursos pelos senhores Pedro de Camargo e Cairbar Schutel." (Transcrito do Jornal *Folha da Manhã*, de 21 de fevereiro de 1931)

*****

CONSERVATÓRIO DRAMÁTICO E MUSICAL DE SÃO PAULO. PARECER DA COMMISSÃO DE CENSURA THEATRAL DO CONSERVATÓRIO SOBRE A PEÇA EM 4 ACTOS *OS MORTOS FALAM*.

O drama em 4 actos *Os Mortos Falam*, de Umberto Brussolo, está em condições de ser representado. São Paulo, 4 de outubro de 1919. Pela Comissão de Censura Theatral do Conservatório, O Relator(a) Pinheiro de Usília. Registrado e copiado as folhas 37.(a) B. Netto.

Dois flagrantes de Brussolo – acima, segurando um exemplar de *O Clarim*.

*****

Umberto Brussolo nasceu na cidade de Porto Gruaro, Veneza, Itália, em 30 de junho de 1877, tendo vindo para o Brasil em 1889. Em 1897, casou-se com Maria Perucchi e com ela teve seis filhos: Antonieta, Palmira, Tosca, Aida Mimi, Desdemona e Gino.

g) João Leão Pitta (1875 – 1958)

Trata-se de um dos maiores divulgadores que o Espiritismo já teve. Português de nascimento, nascido em 11 de abril de 1875 e desencarnado em Piracicaba em 11 de fevereiro de 1958, através de suas excursões doutrinárias, Pitta atingiu os mais recônditos locais nos Estados de São Paulo, Mato Grosso, Paraná, Rio de Janeiro, Santa Catarina, Goiás, Rio Grande do Sul e Minas Gerais, conforme pode se constatar de seus relatórios publicados por Cairbar Schutel no *Clarim* e na *RIE*.

Além de suas substanciosas palestras, Pitta escreveu uma peça teatral doutrinária, *O Operário*, fez a primeira palestra radiofônica espírita (Sorocaba, 1933) e publicou artigos em vários jornais e revistas espíritas.

A partir de 1930 e por mais de 20 anos, Pitta foi o grande peregrino da divulgação espírita coletando assinaturas da *RIE*, de *O Clarim* e vendendo os livros de Cairbar Schutel.

João Leão Pitta gostava de se apresentar assim:
"Sou Leão, mas não rujo; sou Pitta, mas não pito!".

Leão Pitta em Matão.

h) Associação de Propaganda Espírita do Estado de São Paulo

Não só com finalidades de propaganda, mas também unificacionistas, Cairbar Schutel fundou na década de trinta a *Associação de Propaganda Espírita do Estado de São Paulo*.

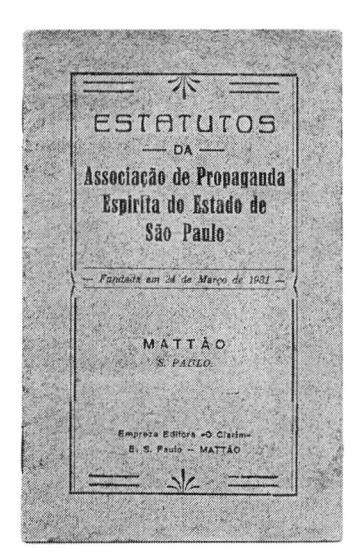

*****

"Da Associação e seus Fins;

Artigo, 1º – A Associação de Propaganda Espírita do Estado de São Paulo, fundada em 24 de março de 1931, tem a sua sede nesta cidade de Mattão – Estado de São Paulo, à Rua Ruy Barboza, no prédio onde se acha instalada a Empreza Jornalística e de Publicações – *O Clarim*, e compõe-se de ilimitado número de sociedades e Centros Espíritas bem como de crentes, sem distinção de sexo e nacionalidade, e tem por fim a propaganda da doutrina que lhe deu origem, o imediato aperfeiçoamento espiritual de seus sócios e ulterior cultivo de relações ostensivas com os seres do mundo invisível, nas condições estabelecidas em regulamento especial."

Sede de *O Clarim*.

"Dia 24 último, em reunião efetuada em São Carlos, no salão do Centro Espírita local, presentes os representantes de diversas Associações Espíritas do Estado de São Paulo, deliberaram fundar a 'Associação de Propaganda Espírita do Estado de São Paulo'.

Foram os seus Presidentes e Procuradores representados nos seguintes Centros: (segue-se lista com 83 entidades e respectivas cidades).

Para dirigir a 'Associação Espírita de Propaganda do Estado de São Paulo' foi aclamado o seguinte triunvirato: Presidente, Cairbar Schutel; Secretário, João Fusco; Tesoureiro, Francisco Crestana" (*RIE*, 15/5/1931)

i) Grande concentração de jornalistas e intelectuais espíritas

Alcançou grande repercussão a *Concentração de Jornalistas e Intelectuais Espíritas* realizada na sede da *Associação Paulista de Imprensa* em 3 de outubro de 1940 promovida pela Revista *Alvorada d'Uma Nova Era* (pertencente à *Sinagoga Espírita Nova Jerusalém*) e sob patrocínio da *Sociedade de Metapsíquica*, da *União Federativa Espírita Paulista* e da comissão designada pelo *1º Congresso Espírita* realizado no Rio de Janeiro.

O evento foi aberto pelo Presidente da *Sinagoga*, Antonio José Trindade, que propôs a eleição por aclamação para a Presidência de Honra da Assembléia do jornalista José Maria Lisboa, Presidente da A.P.I.

Flagrante da Concentração.

Mesa e platéia da Concentração.

Fizeram uso da palavra na ocasião Pedro Fernandes Alonso, João Baptista Pereira, Calazans de Campos e Romeu de Campos Vergal, abordando diversos aspectos da vida e da obra de Allan Kardec, homenageado da noite.

Durante o Evento, foram apresentados os seguintes temas para debate: 1) O Espiritismo e os problemas da Assistência Social, notadamente a Educação, pelo prof. Romeu de Campos Vergal; 2) A Metapsíquica como base científica do Espiritismo: materialização, voz direta, etc., por Noraldino de Mello; 3) A Revelação, a reencarnação e a mediunidade em face do Evangelho, por João Teixeira de Paula; 4) A ação da imprensa espírita como fator da fraternidade humana, por Calazans de Campos; 5) As teorias espíritas em face da medicina, pelo Dr. Ary Lex.

j) Prévia do 1º Congresso Espírita Brasileiro

O jornal *Diário de S. Paulo*, de 17 de dezembro de 1930, noticiou a "Prévia (reunião preparatória) do Congresso Espírita Brasileiro" a reunir-se a 1º de maio de 1931, na cidade de Sacramento, Estado de Minas, berço de Eurípedes Barsanulfo.

Além dos Presidentes honorários, Srs. José Marques Garcia, Diretor da Casa de Saúde *Allan Kardec*, de Franca, e Mariano Rango D'Aragona, conhecido tribuno e ilustrado jornalista, a mesa da Assembléia ficou constituída dos srs. Dr. Francisco Cândido da Gama Junior, íntegro magistrado mineiro, Presidente; Homilton Wilson, jornalista; Prof. Alceu Novaes, redador da *Gazeta de Uberaba*; Prof. Theóphilo Rodrigues Pereira, Secretário; Dr. Dioclésio de Paula, Tesoureiro. São vogais, entre outros, os Drs. Lameira de Andrade, Thomaz Novellino e Laudemiro Alves Ferreira.

"A Prévia tomou várias resoluções relevantes atinentes à propaganda e regularização do Espiritismo no Brasil, procurando expurgá-lo dos falsos elementos que o têm explorado, com grande dano para o seu nome."

Fac-Símile da notícia da Prévia.

"É assim que, entre outras deliberações, o Congresso, a reunir-se, nomeará delegados que junto às chefaturas de polícia estaduais serviram de elementos técnicos informativos para esclarecer e auxiliar os poderes públicos na coibição (*sic*) de abusos e perseguição aos exploradores do falso Espiritismo."

k) Vinte mil espíritas reunidos no Pacaembu

Por iniciativa do Centro Espírita *13 de Maio, Luz da Esperança*, presidido pelo confrade Jacques Mottolá, o Ginásio do Estádio do Pacaembu recebeu vinte mil espíritas em 23 de novembro de 1940, segundo o jornal *Diário da Noite*, "a maior concentração dos espíritas realizada em São Paulo", que teve, inclusive, alto-falantes do lado de fora para os confrades que não conseguiram entrar no recinto.

Evento no Pacaembú.

Fac-Símile da notícia do Evento.

O Evento homenageou grandes pioneiros da propaganda espírita: Batuíra, Cairbar Schutel e outros, bem como a *União Federativa Espírita Paulista* e a Rádio Piratininga por seus esforços na divulgação do Espiritismo.

A parte artística apresentou a Banda da Força Policial, números de canto e declaração a cargo de Bianca Vera, dueto dos meninos Dalva Cardoso e Antonio Salvatti e Gianina Garofalo, cantora lírica.

Renato Leal, da Rádio Piratininga, transmitiu a Concentração ao vivo e fizeram uso da palavra Jacques B. Mottolá, pelo Centro *13 de Maio*; Caetano Mero, pela *União Federativa*; Campos Vergal; Pedro de Camargo, que pronunciou a palestra "Esplendores da Fé"; Hermenegildo de Aquino; e Odilon Negrão, pela imprensa espírita paulista.

Jacques Mottolá.

l) Hora espiritualista, *uma pioneira na Rádio*

A grande revolução na área das comunicações na década de trinta foi o surgimento do Rádio. Espíritas idealistas percebendo a alta penetração de novo meio de comunicação apressaram-se em levar a propaganda espírita através das ondas hertezianas. Se em Araraquara Cairbar Schutel divulgava através de suas *Palestras Radiofônicas*, na cidade de São Paulo, o grande pioneiro foi Caetano Mero com sua *Hora Espiritualista* criada em 1936.

m) Resenha de publicações espíritas (1910 – 1951)

Década de 10

O MUNDO PSÍQUICO – Capital. Fundado em 1/10/1914 com a finalidade de divulgar a parte científica do Espiritismo.

REVISTA DE ESTUDOS PSÍQUICOS – Capital. Fundada em 1919 pelo médico maranhense Raimundo Mariano Dias e o Cel. Ildelfonso Escobar, segundo o jornal *Unificação* de outubro de 1970, ao biografar Mariano Dias.

Década de 20

O PHAROL – Pedregulho. Citado por *O Reformador* de 1/7/1920: *Traz um belo artigo de Vianna de Carvalho: "Será vitorioso?" e "falso cristianismo inserido em números anteriores dessa Revista".*

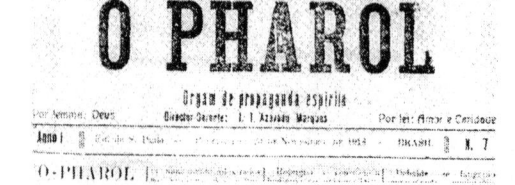

A LUZ – Lorena. Citado por *O Reformador* de 1/7/1920: *insere bons trabalhos de propaganda.*

O CORDEIRENSE – Cordeiro. Citado pela Revista *Verdade e Luz* de 3/10/1922.

ESTRELLA D'OESTE – Ribeirão Preto. Citado pela Revista *Verdade e Luz* de 3/10/1922.

O MISSIONÁRIO – Rio Claro. Fundado em 1921. Sua linha editorial é definida pelo artigo "Ad Vitam Eternam" em seu número de estréia: *o pregão àqueles que ergueram os olhos do materialismo para o descortino do Espírito, através da ignorância, através do jugo de preconceitos, da infalibilidade das religiões, das imensas e contínuas dificuldades da existência, no penoso percurso da vida terrena. Destinado a ser "o arauto dos crentes, o mensageiro da verdade para os que procuram o Redentor".*

Diretores do Jornal *O Missionário*, ano 1923 — 8 de abril.
Em pé: Humberto Barbamera e Nelson Leonardo.
Sentados: Angelo Corso, Esperidião Prado e William Emerson.
Centro Espírita Fé e Caridade.

O CONSOLADOR – Laranjal. Hebdomadário de propaganda espírita que circulava em 1922.

A Revista *Verdade e Luz* de 18/6/1823 a ele se refere: *O Excelente órgão da vulgarização espírita* O Consolador *acaba de completar o seu primeiro aniversário, o qual vem prestando benéfico serviço em prol da verdade. Traz a gravura do Redentor – Jesus – e do Codificador – Kardec – e escolhida colaboração. Fazemos votos de prosperidade ao simpático colega, que em tão boa hora surgiu em cena.*

VÉRITAS – Capital. Órgão oficial do Centro Espírita *Alavanca da Fé*, do Bairro Chora Menino, Santana.

Ao Véritas, *saúda a* Verdade e Luz *que se regozija com o seu aparecimento na arena. Embora tardiamente, ela o felicita, augurando-lhe longa vida, e oferece todo o apoio moral.* (Revista *Verdade e Luz*, 18/1/1923).

A DOUTRINA – Jundiaí. Fundado em 1923. Redação à Rua Capitão Damásio, nº 63. Citado pela Revista *Verdade e Luz* de 18/4/1923, que recebeu seu primeiro número.

A ALVORADA – Capital. Órgão do Centro Espírita *São Jorge*. Redação à Rua Bernardino de Campos, 6ª travessa, Bosque da Saúde. A Revista *Verdade e Luz* assim se refere a ele: *Surgiu para as lides sagradas do Ideal de Jesus a Novel colega* A ALVORADA. *Embora de pequeno formato, é bem grande, no que concerne a seu programa, pois está dentro do programa espiritual traçado por Jesus* (3/7/1923).

O ASTRO – Capital. Jornal de propaganda espírita que circula em 1924 e anos seguintes, conforme *O Reformador* de outubro daquele ano.

REVISTA INTERNACIONAL DO ESPIRITISMO – Matão. Fundada em 15/2/1925, de circulação mensal, fundada por Cairbar Schutel e Luis Carlos de Oliveira Borges. Desde a criação de *O Clarim* que Cairbar se correspondia com espíritas e metapsíquicos de todo o mundo e sua linha editorial era voltada, principalmente, para a divulgação do ramo científico e experimental dos fenômenos espíritos sem descurar, no entanto, das partes religiosa e filosófica. Estampou, em sua fase inicial, trabalhos de Oliver Lodge, Conan Doyle, Charles Richet, Ernesto Bozzano, Gabriel Dellane, Gabriel Gobron, Léon Denis e outros.

Primeiro número da RIE

Nome bastante respeitado nos círculos místicos da Europa, o desejo de Cairbar era ter uma publicação com linguagem mais elaborada e temas substanciosos aos mais cultos, mostrando casos e as experiências ocorridas em todo o mundo para se provar a imortalidade da alma e a comunicabilidade dos Espíritos. A *RIE* era editada em oficinas próprias e por sua direção passaram, além do fundador, A. Watson Campello, José Cunha, José Costa Filho, Carlos Vital Oslon, Wallace Leal V. Rodrigues. Suas páginas receberam colaboração de importantes vultos do Espiritismo: J. Herculano Pires, V. O. Cosello, Levino C. Wischral, Ítalo Ferreira, Dr. Inácio Ferreira, Aleixo Victor Magaldi, Ismael Gomes Braga, Carlos Imbassahy, J. B. Chagas, Leopoldo Machado, que nela publicou "Memórias de um espírita baiano", Deolindo Amorim, Leão Pitta, Newton Boechat, Aureliano Alves Neto, Manoel Alba, F. Lima, Dr. Francisco Klors Werneck, Adauto de Oliveira Serra, Mariano Rango D'Aragona, Olívio Novaes e muitos outros. Em reconhecimento ao muito que fez pela Revista, Antoninha Perche da Silveira Campelo foi homenageada como diretora honorária ao ensejo do 3º aniversário desse órgão; em 15/2/1958, escreveu Watson Campello: *O trabalho de propaganda, desse órgão foi árduo, exigindo muita perseverança e paciência. Mas Cairbar, que sempre contava com o auxílio do Alto, com aquela fé de remover montanhas e transplantar sicômoros, conseguiu firmar a Revista no conceito dos estudiosos dos assuntos espíritas. E hoje a* Revista Internacional do Espiritismo, *que é, além de tudo, um órgão realmente cultural, é conhecida em quase todos os cantos do país e até no estrangeiro (...)*

A maior parte das páginas da Revista era ocupada com traduções autorizadas de artigos dos periódicos internacionais: *Light, La Revue Spirite, Vie d'Outre Tombe, Hoy, The Harbinger of Light, City News, Kalpale, Luce e Sombra, The Two Worlds, Luz del Pourvenir, La Tribune de Genéve, Ghost Stories* e *Psychic Science*. As traduções eram feitas inicialmente por Ismael Gomes Braga, do Rio de Janeiro, e, posteriormente, por Severiano Ivens Ferraz, de São Paulo, e Watson Campello, de Monte Azul.

Dimensões e Formato: 18,30 x 23,30, número variável de páginas, a 1 e 2 colunas.

A NOVA ERA – Franca. Periódico de propriedade da *Casa de Saúde Allan Kardec*, fundada em 15/11/1927 por José Marques Garcia, na

Edição Especial de *A Nova Era* de 15/11/1971, dr. Agnelo Morato, seu Diretor juntamente com Vicente Richinho por muitos anos, fez uma homenagem aos que colaboraram com esta folha no passado: *Justo reverenciarmos os que dirigiram e orientaram este Jornal, desde a data de sua fundação em 15/11/ 1927, e que ficaram na memória cronológica desta folha: Marques Garcia (seu fundador), dr. Diocésio Paula e Silva, Prof. Teófilo Ferreira, dr. José Engrácia de Faria, Genésio Martiniano, Atílio Derrucci, Joaquim Lopes Bernardo, prof. Eufrasiano Moreira, Prof. Antonio Carvalho, José Domingues e muitos outros.* Foram colaboradores permanentes: José Russo, Flávio Richinho, Leonel Nalini, Vicente Richinho, Orlando Carloni (gerente de oficinas), Edgar Amatto, Roque Belutti, Sidney Barbosa, Paulo Moura e outros. O dr. Thomaz Novellino, durante mais de vinte anos, foi Diretor e Revisor. Redação: Rua José Marques Garcia, nº 675. Caixa Postal 65. Oficina Av. Major Nicácio, nº 1561.

Dimensões e Formato: 48 × 32, 6 páginas a 3 colunas.

ESPÍRITA CRISTÃO – Capital. Mensário sob a direção de Amaury Fonseca. A orientação desse jornal é dar publicidade às comunicações mediúnicas que recebe. Citado pela *RIE* de 15/12/1928 e de 15/7/1931.

A LUZ – Faxinal. Periódico mensal, fundado em 1929 e, em novembro de 1933, circulou o nº 38. Após alguns anos parados, voltou a público em 3 de outubro de 1936 sob a direção de João Tibes.

Década de 30

BOLETIM DE ESPIRITISMO – São José dos Campos. Citado pelo Prof. Souza Moraes, em seu artigo "Imprensa Espírita" no *Anuário Espírita do Brasil* de 1931.

A CARIDADE – Mogi das Cruzes. Citado pelo Prof. Souza Moraes no *Anuário Espírita do Brasil* de 1931.

ESPIRITISMO CRISTÃO – Capital. Circulava pontualmente em 1931, segundo o Prof. Souza Moraes no *Anuário Espírita do Brasil* desse ano.

A SEMANA – Sant'Ana dos Olhos d'Água. Citado pelo Prof. Souza Moraes no *Anuário Espírita do Brasil* de 1931.

A VERDADE – Ribeirão Preto. Citado pela *RIE* de 15/3/1931 e 15/7/1931.

O MENSAGEIRO DO ORFÃO – São Manuel. *Orgam do Orphanato Anália Franco* assim estampava a 1ª página do número 1 desta folha em 20 de junho de 1931. Curiosa é que a Edição Comemorativa dos 50 anos do *Lar Anália Franco* (1924 – 1974) por este jornal, publicado em forma de revista, traz o fac-símile do primeiro número com a legenda: "Primeiro jornal editado em 30 de junho de 1930". Qual seria a data correta? A diretora era Clélia Rocha e o Secretário João Coragem, com colaboradores diversos. A linha editorial é definida em seu lançamento: *A publicação de um jornal nos moldes espíritas traz-nos grandes responsabilidades, mas não nos entibiaremos ante quaisquer responsabilidades, porque o nosso propósito é o de focalizar verdades refulgentes promanadas das Escrituras e comprovadas pela ciência de nossos dias.*

Jornal espírita tem em si a máxima preocupação de preservar a imortalidade da vida, aprová-la com fatos e documentos que são os testemunhos, tem o dever máter de veicular as leis do Universo em concertos solenes com as afirmações de Jesus. Jornal espírita tem, ainda, o imperioso dever de apregoar a verdade e profligar a mentira, esclarecendo-os aos olhos do povo (...). O *Lar Anália Franco* de São Manuel foi fundado por Clélia Rocha e Amando Simões, tendo Clélia sido sucedida, em 1936, com seu desencarne, por Célia Zenir Oliveira, também diretora de *O Mensageiro do Lar* substituto de *Mensageiro do Órfão*. O nº

441, ano 21, de 30/9/1951, que tinha por diretores Dr. Zoilo M. Simões e Alice Araújo, registra as solenidades realizadas no *Orfanato* com o lançamento da Pedra Fundamental dos novos dormitórios e a Placa que inaugurava a Rua Amando Simões, benemérito fundador da Instituição e do Jornal.

O MENSAGEIRO DO LAR – São Manuel. Continuador de *Mensageiro do órfão* (anterior), cuja troca de nome deveu-se à mudança de política de tratamento às crianças órfãs, não mais como abandonadas, mas como habitantes de um Lar. O nº 799, consultado, de julho – agosto de 1974, ano 41, traz a foto de uma página psicografada por Amando Simões, seu fundador. *O Mensageiro do Lar* apresentava-se com o *Jornal de Divulgação Espírita* editado pelo *Lar Anália Franco* e defendia em sua linha editorial: O Mensageiro do Lar *continua na sua linha de propanda, levando a mais de 3.000 lares os ensinamentos da moral cristã*. Redação e Oficinas: Rua Amando Simões, nº 779. Tels. 4-2587 e 4-2400 - (1974).

O ROTEIRO – Barretos. Veio à divulgação em 1932 e em 1935 saía o número 32, segundo Clóvis Ramos.

ALVORADA D'UMA NOVA ERA – Capital. Revista quinzenal fundada em 1/12/1932. Órgão da *Sinagoga Espírita Nova Jerusalém* e *Cozinha dos Pobres*, apresentava-se como uma *Revista Espiritualista de Filosofia e Ciência*. Propriedade e Redator: Antonio J. Trindade (fundador). Diretor-Responsável: Dr. Sebastião Luiz Guedes de Souza. Secretário: Dr. Amadeu Santos (1/10/1949 – 2ª fase). Na 1ª fase, acompanhava Trindade o confrade Pedro Fernando Alonso. O Editorial do nº 1 assim se inicia: *Tendo a Sinagoga Espírita sido fundada em 31 de agosto de 1916, parece estranhável que só agora, decorridos que são dezesseis anos e alguns meses, nos dispuséssemos a publicar uma revista que reflita o pensamento desta casa de caridade (...)*. Saiu, a Revista, até o ano 1941, ficando interrompida sua circulação por oito anos até que ressurgiu em 1º de outubro de 1941: *Depois de oito longos anos de afastamento liça jornalística, ei-nos ingressando em suas fileiras mais uma vez, para continuarmos defendendo o programa*

que apresentamos em seu primeiro número. A Revista trazia geralmente na capa ou contra-capa uma figura do Cristo e no reverso uma estrela raiada e um mapa-mundi com uma explicação do Editor: (...) *a concepção da capa não nos pertence, pois ela foi revelada na Venezuela, em março de 1932, pelo médium Abel Danilo assinado pelo espírito Juan. Para compreender seu verdadeiro sentido, procure o leitor virar a capa contra a luz solar ou artificial e terá ocasião de constatar que o Cristo aparece dominando o mundo, e do Alto, a Luz banhando a sua figura excelsa.* As páginas da *Alvorada* defendiam com entusiasmo a criação de uma Academia Espírita. O nº 161 de outubro 1949 noticia o desenlace da confreira Marília Almeida Machado, esposa do grande espírita Leopoldo Machado. Sede e Redação da Revista: Rua Casimiro de Abreu, nºs 392 a 406 – Tel. 9-5226.

Dimensões e Formato: 27 × 18,30, com 32 páginas a 2 colunas, capas em cartolina.

A LUZ – Jacutinga. Sob direção de Alexandre José Ribeiro. Citado pela *RIE* de 15/6/1932.

O REVELADOR – Capital. Periódico da *União Federativa Espírita Paulista*, fundado em fevereiro de 1933, apresentando-se como *Mensário de cultura dedicado aos que se interessam pelos três aspectos da Doutrina Espírita: Ciência, Filosofia e Religião.* Inicialmente em forma de jornal de 4 páginas, a partir do número que consultamos, de setembro de 1941, já no formato de Revista. Era seu diretor, então, Odilon Negrão; Redator, Antenor Ramos; Gerente, Jonas A. Santana; colaboradores: Vinícius, Manuel Tavares, Antonio J. Freire, Barnabé Morere, Areobaldo Lelis e outros. Endereço à Rua Riachuelo, nº 33, Caixa Postal 2071, mas a Redação ficava à Rua Formosa, nº 61. No nº 1, de março de 1947, os Editores Odilon Negrão e Adalberto Menezes anunciaram: *O "Nosso Reaparecimento" – Apostos novamente... Imposições materiais e uma pausa de quarenta e um meses – Voltamos à liça com o pensamento voltado para Jesus (...).* Em abril de 1948, era diretor Paulo Alves de Godoy; Gerente, José S. Viana; Superintendente, Caetano Mero. Em 1949, era Secretário J. J. Cabrera; em 1968, em nova fase, esteve sob a direção de Caetano Mero, Guido Del Picchia como Gerente e por Redatores: Olívio Novaes, General Levino C. Wischral, Martins Peralva, Dr. Jaime Monteiro de Barros e Odilon Negrão. No nº 5, de maio de 1972, o expediente da Revista assim apresenta: Patrono, Caetano Mero; Redator, Guido Del Picchia; Secretária, Rosemeire Tanganelli Penha; Arquivo, Maria A. Gomes da Cruz; Redatores, os já citados e mais a Profª Luiza Pessanha C. Branco, Hélio Del Picchia, Antenor Ramos, Prof. Humberto Munary Tedesco, Antonio J. Azevedo (Nanuque-MG), Aureliano Alves Netto (Caruaru-PE), Dr. Carlos de Brito Imbassahy e Emílio Ferreira (Niterói-RJ), Hermes Pereira Dourado (Rio Verde-GO), Zair Cansado, Antonio Carneiro da Silva, José Alves de Oliveira e Celso Martins (RJ-GB). Redação: Av. Liberdade,

nº 1.034, 1º andar, tel. 278-22180. Em 1973, no nº 1, do ano XL, da nova fase, uma notícia lamentável: Caetano Mero, de volta *à União Federativa Espírita Paulista*, não concordou mais que ela fosse editada e mesmo esse número, de aniversário, foi proibido. Guido Del Picchia e Rosemeire Tanganelli criaram, então, a Revista *Com Kardec*, com o mesmo formato e no mesmo espírito.

Dimensões e Formato: Como revista manteve em todos os anos o formato 27 × 18,5 a 2 colunas e número variado de páginas.

A ALVORADA – São João da Boa Vista. Fundado em 23/3/1933 por José Peres Castelhano. Tinha por linha editorial o aspecto religioso da Doutrina Espírita.

ANUÁRIO AMOR E LUZ – Guaratinguetá. Órgão do *Centro Espírita Amor e Luz*. Circulava em 1934 como informa *A Reencarnação* em 1940.

VERITAS – Pindamonhangaba. Fundado em 1934; Diretor, José Benedito Costa e Gerente, Agostinho San Martin. Redação: Rua Bicudo Leme, 33

ALAVANCA – Campinas. Fundado em 1935, é atualmente órgão oficial da *União Municipal Espírita*. Em 1967, foi reformulado por Dirce Soares Pinheiro e equipe e em 1978 passou a ser impresso em *off-set* sob a orientação de Therezinha Oliveira, Nicolau Cônsoli, Alades Hortêncio e tendo como jornalista responsável João Batista de Sá. Em 1994, o *Alavanca* tinha Clayton Levy como diretor e na Redação Odete Hedad, Sérgio Luis de Campos, Therezinha Oliveira e Tânia R. Albuquerque.

Dimensões e Formato: quando surgiu tinha 33 × 24, com 4 páginas; teve o tamanho reduzido por pouco tempo e atualmente sai com 34 x 28, com 12 páginas a 4 colunas.

AMOR À VERDADE – Ribeirão Preto. Fundado em 1936. Tinha como Diretor Emiliano de Morais e Redatora a Professora Irene Teixeira de Goes. No cabeçalho, um retrato de Kardec entre palmas e a lição de

Vicente de Paula: *Sede bons caritativos e tereis convosco a chave do céu.* Segundo *O Reformador*, em 1945 ainda circulava.

METAPSÍQUICA – Capital. Revista bimestral, órgão da *Sociedade Metapsíquica de São Paulo*, sob direção do Dr. Silvino Canuto de Abreu, fundada em 1936. Em seus primeiros números saíram publicados interessantes artigos abordando fatos ocorridos no Brasil até o ano de 1915, principalmente com relação à atuação de Bezerra de Menezes à frente do movimento espírita em nosso país. A Revista tinha por objetivo: *A verdade sem princípios,* a priori, *nem compromissos* a posteriori. No nº 4, de outubro–novembro de 1936, sob o título "Apelo aos idealistas", lia-se: *A obra que nos coube empreender, acima de nossa capacidade de inteligência e de trabalho, é sem dúvida de grande alcance filosófico e científico. Se triunfar em nosso meio, o que depende menos de nós do que de todos, honrará sobremodo os foros de cultura, marcando para São Paulo um lugar de destaque entre os mais cultos do mundo.* Foram colaboradores da *Metapsíquica*: Pery de Campos, Mário Braga e outros. *A Sociedade Metapsíquica de São Paulo* posteriormente fundiu-se com a *Federação Espírita do Estado de São Paulo.*

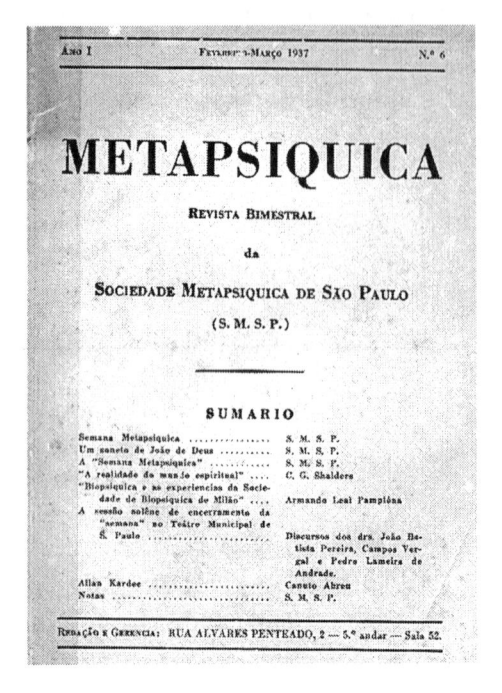

SÃO PAULO ESPÍRITA – Capital. Fundado em 3/10/1936 sob a direção de Eduardo Leite Araújo, Teófanes Ramos, Antonio Castilho e Clemenceal Thompson. Destinava-se a propagar o Espiritismo em seu tríplice aspecto: Científico, Filosófico e Religioso. No primeiro número, assinado por Eduardo Araújo, o programa do Jornal: *A nossa bandeira será mesmo hasteada por Allan Kardec, em torno da qual deverão se reunir todos os espíritas concenciosos para a propaganda dos ideais sublimes e enaltecedores da moral cristã.* Tiragem: 5.000 exemplares.

A VOZ DO ALÉM – Capital. Fundado em julho de 1937, órgão do *Centro Espírita Paz, Amor e Caridade.*

A ALIANÇA – Capital, bairro do Tucuruvi. Fundado em outubro de 1937 por Sebastião Maggi da Fonseca com a seguinte equipe: Ulisses Ribeiro da Silva, Álvaro Gomes da Silva e Antonio Oliveira Souza. Era editado pela *Aliança Espírita de Propaganda e Caridade*. Em 1978, era dirigido por Álvaro Gomes da Silva e redigido por Oswaldo Sibinelli e Natalino D'Olivo.

IMORTALIDADE – Capital. Órgão mensal da *Instituição Cristã Família Espírita,* fundado em junho de 1938 por Antonio Fernandes (Diretor), Antonio Bertelott (Redator) e Antonio da Graça (Gerente). Em "Apresentando-se", o Jornal disse a que veio: *Ocupando o último posto desta já longa* Imortalidade, *tem como únicas credenciais o seu acendrado amor à causa esposada, à qual dará todo o carinho e dedicação, trabalhando sem desfalecimento e temores, dentro da mais ampla fraternidade, pela disseminação dos pos-*

tulados cristãos da confortante doutrina moral-científica-filosófica, que é toda ela a Codificação de Allan Karderc, a mais lídima, cristalina e sublime interpretação dos Evangelhos de Jesus Cristo que nos foi revelada pelo Espírito de Verdade, o Consolador prometido por Ele em sua peregrinação **material** por este Planeta.

O ESPIRITUALISTA – Capital. Fundado em novembro de 1939, é citado por Eddie A. da Silva. Citado por *O Revelador* ainda em circulação, em 1948.

A CENTELHA – Capital. Fundado em 1/1/1939 por João Silveira e tendo por Redator Dr. Paulo de Monte Ablas. Apareceu inicialmente como jornal e, ao tornar-se revista, logo granjeou excelente conceito por seu conteúdo doutrinário e pela equipe de colaboradores: Agnelo Morato, Carlos Imbassahy, César Burnier, Herculano Pires, José Russo, Laurinha Santos Albuquerque, Levino C. Wischral, Martins Peralva, Max Kohleisen, Raul Pompéia, Rodolpho dos Santos Ferreira, Vinícius, Wandick Freitas e muitos outros. Assim a *Revista Espírita do Brasil* se referiu a A Centelha: um *exemplo marcante de perseverança e amor à causa espírita*. Costumava prestigiar em suas páginas as produções mediúnicas do médium mineiro Pedro Machado, fossem elas psicografias ou psicopictografias, como no nº 109, consultado, de janeiro de 1948, que traz um desenho do Espírito Belmonte retratando Fenareta, mãe de Sócrates, juntamente com explicações sobre ele. Esse número traz, ainda, artigo de Pedro de Camargo (Vinícius) sobre os dez anos de A Centelha, que se apresentava como *Mensário Cristão a serviço da fraternidade*. Em seu ano XIV, nºs 164 a 167, levado à divulgação em agosto–novembro de 1952, *A Centelha* estampou em sua capa o retrato de seu fundador João Silveira, recentemente desencarnado. Neste número, a Revista já vinha dirigida por Domingos Antonio D'Angelo Neto, José Luiz Júnior (Secretário), Orestes Carlini (Gerente) e João Henrique Franzolin (Publicidade). *A Centelha* mantinha uma *Biblioteca Circulante Gratuita* em sua

Redação, à época na Rua Felipe Oliveira, nº 21 – 4º andar. Anteriormente a Redação e Oficina própria funcionavam à Rua Brigadeiro Galvão, nº 540, tel. 5-8710. Também esse número registra uma Caravana Fraterna a Pedro Leopoldo: *Em visita ao maior médium psicógrafo do mundo: Francisco Cândido Xavier.* À página 69, uma informação aos leitores: *Com a presente edição de 80 páginas,* A Centelha *acerta seu atraso, fruto das circunstâncias alheias à nossa vontade (...). Aceitava publicidade.*

Dimensões e Formato: 27 × 18, número de páginas variável, a 2 colunas, capas em cartolina.

Evento com a participação de jornalistas de *A Centelha* e outros confrades.

O PORVIR – Campinas. Fundado em 6.5.1939, órgão do *Centro Espírita Allan Kardec* e seu Departamento *Instituto Popular Humberto de Campos.*

Década de 40

O SEMEADOR – Capital. Fundado em junho de 1940, órgão do *Centro Espírita Dr. Bezerra de Menezes.* Diretor Paulo Alves de Godoy e Redator Francisco Arcari.

A VIDEIRA – Capital. Fundado em 1942, órgão do *Centro Espírita Irmã Nice.* Em agosto de 1969, comemorando seu 17º aniversário, Wenefledo Toledo historia o periódico: *Nasceu humilde, acanhado, medroso, o jornalzinho* A Videira *receoso de sua aceitação neste mundo cheio de incompreensão e dúvidas, mas amparado da luz benfazeja do espírito de*

Irmã Nice, sob a tutelar proteção do amado Mestre Divino, Nosso Senhor Jesus Cristo. Vencendo as escarpas e escolhas da imprensa espírita, foi A Videira se impondo pela confecção e doutrina, melhorando o formato, tornou-se uma leitura querida e almejada para preencher o vácuo que sempre existe no coração dos homens, ávidos de esclarecimentos doutrinários. Pugnando pela feição religiosa do Espiritismo, teve como pioneiros: Frederico Moreira, Clementino Nunes de Souza e Norberto.

Dimensões e Formato: 23 × 32, com 6 páginas.

TRIBUNA ESPÍRITA – Capital. Fundado em 1944, bimestral, órgão do Centro Espírita *Missionário Germano*. Diretor, Paulo Alves de Godoy; Redator, Antonio Alves de Godoy; Secretário, Francisco Arcari. Noticioso e doutrinário. No nº 35, ano IV, de maio-junho de 1948, há uma homenagem a William Crookes na 1ª página. Também se noticia que a *União Federativa Espírita Paulista* estava se desligando da *União Social Espírita* e um chamado eloqüente: *Dando adesão da vossa* Instituição à União Federativa Espírita Paulista *estareis aderindo à Federação Espírita Brasileira e contribuindo para a tão almejada unificação do Espiritismo Nacional.*

Dimensão: 4 páginas.

O SEMEADOR – Capital. Fundado em 1º de março de 1944, órgão oficial da *Federação Espírita do Estado de* São Paulo. O jornal era impresso na *Tipografia Argus*, de Natalino Graziano, à Rua Asdrúbal do Nascimento, nº 114, tinha como diretor Pedro de Camargo (Vinícius) e na equipe:

Edgard Armond, Godoy Paiva, Manoel Quintão, Dr. Luiz Monteiro de Barros, Carlos de Brito Imbassahy, Dr. Carlos G. S. Shalders. No cabeçalho trazia a figura de um lavrador jogando a semente e, junto à data, a frase: *A semente é a palavra de Deus.* Desfilaram por suas páginas grandes escritores e jornalistas espíritas: Paulo Alves de Godoy (ainda em atividade), Reynaldo Pinheiro, Josyan Courté, Carlos Jordão da Silva, Alfredo Miguel, Rodolfo Calligaris, Djalma Farias, Arnaldo S. Thiago, Bertho Condé, Levino C. Wischral, Dr. Júlio de Abreu Filho, Hernani Guimarães Andrade, Ary Lex, Carlos Imbassahy e muitos outros.

Dimensões e Formato: 36,50 × 28,50, com 4 páginas (nº 1) e mais um suplemento de 2 páginas a partir do nº 2.

BOLETIM DOUTRINÁRIO – Capital. Editado pelo Grêmio da *Juventude Espírita Lameira de Andrade*. Mimeografado, foi fundado em abril de 1945 por Mévio Minchillo, Ernani Rangel Policeno e outros. Nela colaboraram, entre outros, os Drs. Jaime Monteiro de Barros e Carlos Imbassahy.

O ESPÍRITA – Osasco. Órgão da *União Espírita Socorro dos Necessitados*. Direção de Pedro A. Oliveira, Rodolfo dos Santos Ferreira, José Augusto Gregório e J. Lima. Noticiado o segundo número pela *Centelha* de janeiro de 1945.

IRMANDADE DO PURO CRISTIANISMO – Duas Barras (Birigui). Acusado o recebimento por *O Reformador* em maio de 1940 dos números 71 e 72. Seria publicação espírita?

BOLETIM DOUTRINÁRIO DO GRÊMIO DA JUVENTUDE ESPÍRITA LAMEIRA DE ANDRADE – Capital. Citado por *O Reformador* de maio de 1945.

LEESP – Capital. Revista mensal, fundada em abril de 1946, órgão da *Liga Espírita de São Paulo*. Apresentava-se como *Revista Mensal de Cultura Espírita e Assuntos Diversos* (nº 9, dez. 1946). A mais completa Revista do gênero – Grande circulação entre os espíritas e simpatizantes de doutrina de renovação cristã (nº 23, fev. 1948); Órgão de propaganda espiritual (nº 25, abril 1948). Os primeiros números tinham como Diretor-Responsável Antenor Ramos e Secretário, João de Oliveira Guarim. O nº 25, consultado, trazia o mesmo responsável, F. Alpiste Gomes como Secretário e Goulart Paes como Gerente. O seu corpo de redatores era o seguinte: Lanur Barreto Borba, Frederico Graf, Prof. Luis Guimarães de Almeida, Roberto Jordão de Magalhães, Prof. Rafael Falco Filho, Dr. Antonio D'Angelo, Apolo Oliva Filho, Carlos Jordão da Silva, Eurico Fonseca, Lucy Galho, Wandick de Freitas e José da Costa Cirne. Como articulistas encontramos artigos de Vinícius, Joni Doin, Paulo Alves de Godoy, Altivo Ferreira, Anita Briza e Zaira Pitt.

A FOLHA ESPÍRITA — Taubaté. Órgão do Núcleo Espírita Irmã Isabel. Fundado em novembro de 1946, tinha como Diretor Geraldo Oliveira, Secretário, Luiz Rosas da Silva; Redator, João Pires de Carvalho e Gerente Geneval S. Toledo.

UNIÃO — Bauru. Fundado em 1946, tinha como Diretor Homero Escobar; Gerente, Nabor da Graça Leite. Redação: Rua XV de Novembro, 8-47.

O FANAL — Bebedouro. Fundado em 1948, tinha como Diretores: Kardec Rangel Velloso, E. R. Pitta, Francisco Velloso e Secretário, Jayme do Carmo.

A LIGA ESPÍRITA – Capital. *A Liga Espírita* desempenhava funções federativas filiando Centros, por isso sua Revista trazia muitas notícias do movimento espírita paulista e brasileiro. Também não se limitava ao Espiritismo e fazia registros culturais; sociais e políticos. À pág. 10 de seu nº 9, dezembro de 1946, se autodefinia: *Não interessa à Leesp, nem tampouco ao seu órgão de publicidade, assuntos políticos. Se nas páginas, deste número, vêm-se alguns clichês, isso é apenas a título de "aviso" para que nossos companheiros saibam que existem candidatos espiritistas e mesmo por ser uma revista eclética. Estejam, pois, esses candidatos filiados a qualquer partido que daremos nota para o conhecimento geral, uma vez que sejam espiritistas ou espiritualistas. Um órgão de publicidade que não orienta, que oculta as coisas é nulo. E a Leesp surgiu com um espírito renovador e despido de certos preconceitos prejudiciais. Por imperativo da lei temos que cumprir os novos deveres cívicos, votando, portanto, o façamos na certeza de que nossos companheiros de ideal podem, com a evangelização que receberam, pres-*

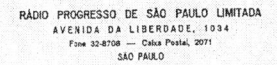

tar grandes serviços a coletividade humana, com excepcionais vantagens. Em seguida apresenta reportagem sobre a construção do Hospital das Clínicas de São Paulo pelo Interventor do Estado, Adhemar de Barros e a lista de candidatos espíritas a Deputado Estadual: Capitão-Médico Euclydes de Castro Carvalho, Dr. Romeu de Camargo, Dr. Ubirajara D. Mendes, Francisco Franklin de Almeida e Dr. Roberto Jordão de Magalhães. Redação e Administração: Rua Brigadeiro Tobias, nº 55, depois nº 238, tel. 4-8471, Caixa Postal 6000. Aceitava publicidade.

Dimensões e Formato: 32 × 23, com 24 páginas a 2 e 3 colunas e posteriormente 23 × 16, com 40 páginas a 1 e 2 colunas, capas em cartolina.

LUMINAR – Capital. Os números 6 e 8 consultados desta Revista apresentam-se como ano X da fundação, em junho e agosto de 1955, respectivamente, órgão da *Liga Espírita do Estado de São Paulo*. Teria vindo substituir a Revista *Leesp*? Provavelmente. Em tamanho menor, menos páginas, exclusivamente doutrinário, diferentemente ao seu antecessor, *Luminar*, continuava com a Direção de Antenor Ramos, poeta e Presidente da *Liga*, e apresentava como Secretário o Dr. Jandir A. Figueiredo, em sua pág. 3, o nº 8 de *Luminar* saúda outro jornal da *Liga: Mais um excelente jornal espírita acaba de aparecer:* O Verbo, *órgão do* Departamento de Assistência Social da Leesp *e que publica na Capital Bandeirante.* O Verbo *traz magnífica matéria e tem como Diretor o nosso distinto confrade Antenor Ramos (...)*. Clóvis Ramos dá mais informações sobre esse periódico: *Jornal de grande formato, 4 páginas. Criado com a finalidade de "difundir os ensinos de Jesus, o Mestre, na plenitude de sua grandeza e magnificência divina". No nº 8, de novembro de 1955, é divulgada a carta dirigida ao Prof. Romeu de Campos Vergal, assinada por expressivas figuras do Espiritismo de São Paulo, pedindo um projeto de lei criando cursos e estabelecimentos metapsicológicos (...). Luminar apresentava-se como órgão oficial da Leesp do Departamento de Assistência Social e Ambulatório Dr. Raul Margarido.* Endereço: Rua Brigadeiro Tobias, nº 238, tel. 34-8471, Caixa Postal 6.000. Aceitava publicidade.

Dimensões e Formato: 23 × 16, média de páginas 18, a 1 e 2 colunas.

Periódicos citados por *O Revelador* no Estado de São Paulo em uma edição de fevereiro de 1948 sem maiores informações: *Folha Espírita, União, Amor à Verdade* e *Infância Espírita*.

NA SEARA ESPÍRITA – Sanatório de Pirapitingui – Itu. Redigido pelos internos hansenianos do hospital, órgão da Sociedade Espírita *Santo Agostinho* presidida por Salviano Siqueira Martins.

Década de 50

ÉDIPO – Capital. Fundado em fevereiro de 1950 por Júlio de Abreu Filho como parte do projeto da *Édipo-Edições Populares* que tinha por finalidade verter para o português a *Revue Spirite*, revista publicada por Allan Kardec por doze anos consecutivos. O Gerente do periódico era P. Carvalho Osório o qual tinha por lema:

Sempre a verdade, carinho e amor para todos. No cabeçalho, a notícia da lenda grega: *No caminho de Tebas, Édipo encontrou a Esfinge que lhe propôs o enigma terrível. Não o decifrasse e seria devorado. Édipo decifrou o enigma da Esfinge.* Como linha editorial, o hebdomadário dizia a seus leitores que só publicaria notícias, informaria do progresso internacional do Espiritismo e que tinha compromisso com a Doutrina dos Espíritos. Vale tomar ciência do que disse no seu primeiro número: *Esperamos não ter desilusões, por isso que não temos ilusões. Orientados por uma doutrina, por uma ciência experimental, por uma filosofia conducente a conseqüências religiosas, no seu sentido moral, mas não a uma religião, no sentido vulgar do vocábulo, consideramo-nos pagos por esta moeda simples e fácil: a satisfação íntima do dever cumprido. Buscaremos sempre a oportunidade para difundir a boa doutrina sob seu tríplice aspecto; para mostrar as realizações da família espírita; para acentuar a necessidade de levantamento do nível intelectual das nossas lides espiritistas. Como faremos? Conclamando os estudiosos, os pró-homens do Espiritismo a uma colaboração feita de plano, com visados seguros e bem definidas; publicando reportagens gratuitas sobre a obra assistencial que os espíritas vêm realizando em todo o Brasil; mantendo uma seção bibliográfica, na qual serão separados joio e trigo da produção impressa, isto é, obras recomendáveis e obras pseudo-espíritas, entorpecentes e letais; respondendo sucinta, mas metodicamente, através do nosso questionário as perguntas que nos forem dirigidas.* A *Édipo* localizava-se na Rua Ezequiel Freire, nº 74, Caixa Postal 5.138, e foram editados 18 números do jornal.

O KARDECISTA – Capital. Fundado em 31/3/1950 por Herculano Pires e que tinha no Conselho de Redação: Dr. Domingos Antonio D'Angelo Neto, Pedro Granja e Wandick de Freitas. Gerente: Luiz Ismar D'Angelo Neto. Órgão do *Clube dos Jornalistas Espíritas de São Paulo*, veio a lume para a defesa do pensamento do Codificador do Espiritismo, Allan Kardec, e fê-lo intransigentemente contra inovações na Doutrina.

KARDEQUINHO – São Paulo. Primeira Revista dedicada ao público infantil. Idealizada por Jorge Rizzini e lançada em 1959 pelo Clube dos Jornalistas Espíritas de São Paulo, o jornal infanto-juvenil *Kardequinho* foi, inicialmente, um tablóide impresso em cores e em papel *couché*. Circulou de norte a sul do país. Mas no segundo número desvinculou-se do Clube e transformou-se em uma bela revista mensal com 36 páginas ricamente ilustradas sob a direção de Jorge Rizzini e de Alfredo Crusso. Revista pioneira dedicada à infância espírita, *Kardequinho* é um marco na história do jornalismo doutrinário. Entre os colaboradores efetivos destacavam-se Júlio Abreu Filho, Iracema Sapucaia e Hernani Guimarães Andrade (este último assinava a página "Dona Ciência Pede Atenção"). *Kardequinho*, recebido com elogios pelas lideranças doutrinárias (inclusive, por Chico Xavier), não teve, porém, longa vida, embora a FEB e a FEESP adquirissem, cada uma, quatrocentos exemplares de cada edição. Diz Rizzini que a maioria dos centros espíritas em 1959 não possuía livraria organizada e atrasavam o pagamento.

Dimensões e Formato: inicialmente 32 × 24, com 8 páginas e, posteriormente, 16 × 22,5, com 16 páginas.

ALMENARA – Campinas. Órgão Espírita, Científico e Filosófico, fundado em agosto de 1950. Diretores: Benedito Gonçalves do Nascimento e Paulo Botelho de Camargo. Linha editorial evangélica, científica e de poesias.

A FAMÍLIA – Jaboticabal. Órgão de orientação espírita, tendo por Diretor-Responsável Francisco Volpe, iniciou sua publicação em 13 de maio de 1951 e seu lema era: *Fora da Caridade não há salvação*. Em seu primeiro número, *A Família* define sua linha editorial: *Aparece hoje A Família, iniciando-se na lida como órgão orientador da mocidade espírita. O número sempre em progressão de jovens que se filiam a associações espíritas estava a exigir o advento de um jornal doutrinário que concorresse não só para a formação cultural desses jovens, mas também servisse, concomitantemente, como elemento coordenador, a louvar e a estimular todas as iniciativas e todos os empreendimentos objetivando o bem comum* A Família *surge, pois, com essa finalidade (...)*.

Dimensões e Formato: 28 × 38, com 4 páginas a 5 colunas.

O ILUMINADOR – São José do Rio Preto. Órgão da *Associação Espírita Allan Kardec*, fundado em 5/1/1952, tinha por responsáveis: Oswaldo Tonello, Lázaro C. Ehmke, Antonio E. Lorenzino. No cabeçalho ostentava uma tocha acesa irradiando luz sobre um livro aberto: *O Evangelho Segundo o Espiritismo*. Tinha formato grande.

ÁGUA VIVA – Capital. De distribuição gratuita, apresentava-se como *órgão espírita de difusão doutrinária da Editora Espírita Água Viva*. Fundado em 1952, tinha capa em azul e branco com um desenho representando o Cristo junto ao poço de Jacó pedindo água à mulher samaritana e, por sua vez, a Água Viva. O nº 63, página 15, da Revista, traz a seguinte advertência: *Cientificamos os queridos leitores que a* Revista Água Viva *bem como a* Editora Espírita Água Viva *não têm pessoa autorizada a fazer campanha de auxílio para a sua manutenção, assim como não é do seu programa receber donativos de qualquer espécie, pois a sua finalidade é a divulgação gratuita das obras ditadas pelos Espíritos do Bem, aceitando, no entanto, de todo coração, as vibrações de amizade e carinho de seus prezados leitores, o que de antemão agradecemos, comovidos, rogando ao Pai Celestial que cubra seus caminhos de bênçãos misericordiosas.*

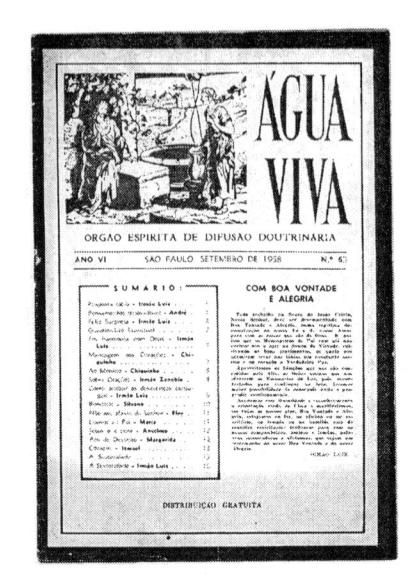

Sua Diretora era Rosíres M. Andreucci e Redatora, Ilda Silva. A Revista só trazia mensagens e poesias psicografadas principalmente de Irmão Luiz, Mentor do Grupo e de Chico Xavier. Redação: Rua Bueno de Andrade nº 828, depois transferida para a mesma Rua nº 614, tel. 31-5713.

Dimensões e Formato: 22,30 × 16, com 16 páginas a 2 colunas, capas em cartolina.

O EVANGELHO – Capital. Semanário espírita e noticioso, tendo como Redator-Chefe Pedro Granja, Redator-Secretário, João Teixeira de Paula e Diretor, João Batista Pereira. Número consultado de 9/11/1952, ano I , nº 1. Esse exemplar noticia a visita de Pietro Ubaldi ao Sanatório de Hansenianos de Aymorés e traz interessante artigo de Militão Pacheco sobre seu amigo Lameira de Andrade.

Dimensões e Formato: 39 × 56, com 8 páginas a 7 colunas.

UNIFICAÇÃO – Capital. Fundado em março de 1953, periódico da *USE – União das Sociedades Espíritas do Estado de São Paulo.* Diretor, Paulo Alves de Godoy; Secretário, Apolo Oliva Filho; Conselho de Redação: Dr. Luiz Monteiro de Barros, Abel Glaser e Prof. Emílio Manso Vieira. No nº 1, em sua "Apresentação", define-se: *Fruto do III Congresso Espírita de Piratininga, um mensário de Doutrina Espírita, preparador das condições psicológicas e econômicas que possibilite aos espíritas bandeirantes a posse de um diário profano de feição* espírita. Unificação surge na arena do periodismo doutrinário, carregando mais esperanças do que páginas, mais ideal de servir cristãmente do que títulos e palavras que se encontram em suas colunas. Em 1990, o *Unificação* foi transformado, em *Dirigente Espírita*, ganhou o formato tablóide (28 × 21), sob a Direção de Wilson Garcia. Editora atual: Julia Nezu.

Dimensões e Formato: 37 × 27, 30, a 4 colunas e número variável de páginas. Posteriormente teve outros formatos e tratamento gráfico.

CENA – Capital. Órgão oficial do *Centro de Estudos Nós e o Além*, bimensal, foi fundado em 1954 e tinha como Diretor Vicente Cruso; Redator, Alfredo Vitor Cruso; Secretário, Ezequiel F. Sanchez; e como colaboradores Wandick de Freitas, Luiza Pessanha Camargo Branco, Paulo Alves de Godoy, João Teixeira de Paula, J. Justino de Castilho e João de Angola. O nº 8-9, consultado, noticiou a *I Exposição de Livro Espírita* que seria realizada no salão da *Federação Espírita do Estado de São*

Paulo e publica um fac-símile da carta que Chico Xavier enviou congratulando-se com o Evento. Também publicou o artigo "Este é o Túmulo de Kardec" que nessa data (abril de 1955) possuía quatro placas, sendo duas de homenagem da *União Espírita da Bélgica*, em francês, e do brasileiro Castro Carvalho, em português. Seus dizeres: *Ao Mestre Allan Kardec. Paz em Jesus. Castro Carvalho, Deputado. São Paulo. Brasil.* O Deputado Castro Carvalho, insígne espírita, adquiriu a gratidão do movimento espírita paulista desde a década de 1940 quando fez veemente defesa da Rádio Piratininga de Caetano Mero na Assembléia Legislativa, e é avô do Autor deste trabalho. Este número da *Cena* também traz excelente trabalho de Teixeira de Paula sobre Allan Kardec. A Redação e Administração da Revista ficava na Rua Quirino de Andrade, nº 57, tel. 34-3414 e as Oficinas na Rua Asdrubal do Nascimento, nº 114.

Dimensões e Formato: 22,5 × 16, com 50 páginas (número consultado) a duas colunas, com capa em cartolina.

Periódicos citados por Laffayette em sua obra *A Imprensa Paulista*, com toda certeza de fundo religioso, mas sem citar a religião: *Religião da Humanidade* (1881); *Apóstolo* (1865 – órgão religioso, político e noticioso redigido pelo Dr. Cândido Bueno da Costa Barros e impresso na Typographia Allemã de Henrique Schoreder); *Religião Cristã* (1886).

Periódicos citados por Affonso de Freitas em *A Imprensa Periódica de São Paulo*: *O Juvenil* (Capital. Jornal mensário, órgão livre da *Sociedade Juvenil de E. Cristão*. Redação: Rua de São João, nº 90. O primeiro número, ano I, de *O Juvenil* apareceu a 8/7/1904. E. Cristão seria Espiritismo Cristão? Não o sabemos).

Periódicos citados por Eddie Augusto da Silva no *Boletim Bibliográfico Brasileiro* em 1957, sem data de fundação: *Alvorada* (Guaratinguetá); *Boletim informativo* (Cachoeira Paulista, órgão da *Mocidade Espírita Cachoeirense*); *O Doutrinador* (Capital, com a Informação que se editava em Santo Amaro); *O Fanal* (Araraquara); *O Fanal* (Lorena, de orientação evangélico); *O Luzeiro* (Capital, Redação à Av. da Liberdade, nº 47); *Luz no Caminho* (França); *Nova Imprensa* (Taubaté); *O Seareiro* (Guaratinguetá, de Linha editorial evangélica).

Periódicos citados por Jerson Neves no artigo "A Imprensa Espírita" da Revista *A Reencarnação* de Porto Alegre-RS, de dezembro de 1971, sem data: *O Amanhã Nasce do Agora* (Capital); *A Fagulha* (Sorocaba); *Os tempos chegaram* (Santo André).

Outros sem data: *A Infância Espírita* (Capital. Hebdomadário bimestral, destinado às crianças, sob a direção de Eliseu e Maria Rigonatti); *Folha Juventina* (Araraquara, órgão da *Mocidade Espírita de Araraquara* citada na Revista A *Centelha* de agosto/setembro de 1972); *O Farol daVida* (Capital. Citado por Clóvis Ramos, sem qualquer outra referência).

Capítulo 4
Propaganda Espírita Radiofônica (1932 – 1960)

a) Tentativas pioneiras

b) A primeira palestra espírita radiofônica

c) Mais registros históricos

d) *Hora Espiritualista*

e) Rádio Piratininga

f) Rádio Progresso

g) Rede Boa Nova de Rádio

h) Outros programas

Deputado Castro Carvalho, defensor da Rádio Piratininga, esposa (Soelly) e filho (Waldir).

a) Tentativas pioneiras

A Revista *Verdade e Luz* de março a junho de 1926 publicou interessante artigo sobre as primeiras transmissões de propaganda espírita pelas ondas hertzianas na França, Argentina e no Rio de Janeiro, animando aos paulistas a tomarem providências semelhantes. Pela importância histórica de seu texto, transcrevemos aqui o artigo.

Espiritismo e Radiofonia

O primeiro passo vai ser dado no Brasil.

A imensidão do território nacional e as naturais dificuldades oriundas da falta de transportes rápidos e econômicos têm evitado que os espíritas brasileiros possam se manter em contato íntimo e constante como seria conveniente para auxílio e esclarecimento mútuos.

Os propagandistas de valor, sobretudo os conferencistas, são constantemente solicitados para conferência em cidades do interior, mas raros podem atender a esses apelos porque as distâncias são longas e as despesas quase sempre insuperáveis.

Há, porém, um meio prático cujo emprego vai resolver o problema – a radiotelefonia.

A França já a está utilizando com grande proveito desde o princípio do corrente ano.

Relata a *Revue Spirite*, num dos seus últimos números, que Pascal Forthuny, autor da música e letra do Hino Espírita, e André Rippert, Secretário da Federação Espírita Internacional, dois conhecidos e esforçados propagandistas, têm irradiado, pela estação rádio-telefônica da Torre Eiffel, uma série de importantes conferências sobre doutrina espírita.

Essa estação, mantida por uma associação dos próprios auditores, não é subvencionada e, portanto, não depende do governo nem de nenhuma empresa comercial.

Também na Argentina a propaganda já está sendo irradiada.

A Confederação Espírita Argentina montou em sua sede um aparelho emissor e vários centros do interior do país estão montando aparelhos receptores nos seus salões de reuniões.

No Brasil o primeiro passo nesse sentido está sendo dado pela Liga Espírita do Brasil, cujos estatutos – a "Constituição Espírita do Brasil" – no seu art. 3º, nº 24, determinam: "Instalar, em sua sede, um estúdio de rádio-telefônia, para irradiação de conferências e músicas e para formação de correntes de pensamento, e fomentar a instalação de aparelhos receptores nas sedes das Associações agregadas e das Ligas Espíritas Municipais e Estaduais".

"Nota da Redacção"

Este interessante artigo que extraímos do *Mundo Espírita*, sugeriu-nos a idéia de iniciar pela nossa Revista *Verdade e Luz* a instalação aqui, em S. Paulo, em nossa sede, ou na sede da Instituição Christã Beneficente, *Verdade e Luz*, de um estúdio-emissor de rádio-telefonia, para irradiação de conferências e estudos espíritas a todos os Centros Espíritas do Estado, onde serão colocados aparelhos receptores. Assim, por exemplo, o Dr. Coelho Netto, Frei Solanus, ou outros conferencistas farão as suas conferências aqui, e serão ouvidas distintamente por todos os Centros Espíritas do Estado de S. Paulo. Na realização deste objetivo que o é também da Liga Espírita do Brasil, o nosso redator-geral Dr. Lameira já pediu a um engenheiro competente desta capital, orçamento para essas instalações e uma exposição de sua exeqüibilidade, e logo que lhe cheguem às mãos os dados precisos, ele fará um manifesto a todos confrades e centros espíritas pedindo a sua adesão para tão grandiosa realização. Que Deus o permita conseguir prontamente este incomparável meio de propaganda da causa do Senhor.

Observação: Ao que apuramos, a idéia infelizmente não vingou na prática.

b) A primeira palestra espírita radiofônica

A *Revista Internacional do Espiritismo* de novembro de 1933 traz sob título "Excursão da Propaganda sob os auspícios da Revista e d'*O Clarim*", o relato da excursão de João Leão Pitta aos Estados do Paraná e São Paulo quando pronunciou cerca de 30 palestras doutrinárias.

No dia 6 de setembro, Pitta anuncia ter falado ao microfone da Rádio Sorocaba sobre o tema "Jesus e a Adúltera", completando: *Foi a primeira irradiação espírita feita em São Paulo e ao* Clarim *coube a primazia.*

João Leão Pitta e filha.

De fato, até o momento é o documento testemunhal mais antigo que conseguimos localizar sobre a propaganda espírita radiofônica em São Paulo.

c) Mais registros históricos

Em 1937, Henrique Andrade escrevia a Cairbar Schutel, relatando que em 1932 já ocupava o microfone da Rádio Educadora (Rio) para pregar o Espiritismo; em nome da *Sociedade Espírita Escolar*; no mesmo ano, o Dr. J. M. Lemos de Porto Alegre também ocupava as manhãs de domingo com palestras espíritas na Rádio Difusora (ou Farroupilha); em 1939, Leopoldo Machado irradiava sua *Hora Espírita Radiofônica* em Nova Iguaçu.

Pitta e a família.

Em São Paulo, a Revista *Alvorada D'Uma Nova Era* anunciava que: *A estação de Rio Claro também se deu o seu microfone aos espíritas, tendo-o ocupado a srta. Wenzel, várias crianças do catecismo espírita e o Sr. Leão Pitta. A Rádio Clube de Sorocaba, dedica os sábados e domingos à propaganda do espiritismo, das 19:30 horas em diante. Nesta estação já se tem feito ouvir vários oradores. Estão inscritos para as próximas vezes os Srs. Dr. Monteiro de Barros e Pedro Fernandes Alonso que os Srs. Antenor Ramos e Caetano Mero. A Rádio Clube de Rio Preto faz propaganda espírita todas as quintas-feiras às 8:15 horas; falando o nosso confrade Sr. Farid Ignácio Mussi, Presidente do Centro* Rodrigo Lobato, *daquela cidade. E na capital, já por várias vezes, estações de rádio têm sido o microfone a irradiações espíritas.*

d) *Hora Espiritualista*

A grande revolução na área das comunicações na década de trinta foi o surgimento do Rádio. Espíritas idealistas percebendo a alta penetração do novo meio de comunicação apressaram-se em levar a propaganda espírita através das ondas hertezianas. Se em Araraquara Cairbar Schutel divulgava por meio de suas *Palestras Radiofônicas*, na cidade de São Paulo o grande pioneiro foi Caetano Mero com sua *Hora Espiritualista* criada em 1936.

e) Rádio Piratininga

Em dezembro de 1936, Caetano Mero, Presidente da *União Federativa Espírita Paulista*, requereu pela primeira vez, do Ministério da Viação, um prefixo para a criação de uma Rádio para divulgação do Espiritismo, concessão essa negada "por falta de canais".

Consciente da importância desse novo meio de comunicação, Caetano Mero começou a apresentar um programa de propaganda espírita na Rádio Educadora Paulista.

Em 1939, Mero adquiriu do Sr. Floriano Peixoto Costa o Prefixo PRH-3 por cento e sessenta e cinco mil cruzeiros e inaugurou, em 8 de março de 1940, a Rádio Piratininga, que funcionou até 22 de outubro de 1942, quando foi arbitrariamente fechada pelo Decreto nº 10.659 do Presidente Getúlio Vargas.

Caetano Mero.

*****

O Caso da Rádio Piratininga na Assembléia Legislativa de S. Paulo

Na sessão do dia 28 de março, um dos brilhantes representantes do povo, o médico e nosso confrade Dr. Euclydes de Castro Carvalho, como primeiro orador dos trabalhos do dia, ocupou a tribuna daquele congresso

Diretoria da Rádio Piratininga.

Instalações da Rádio.

constituinte para tratar do fechamento da Rádio Piratininga, em 1942, dizendo que esse ato foi uma injustiça praticada pelo governo federal. Finalizando seu discurso, o orador enviou um requerimento à mesa, pedindo fixo para o funcionamento daquela emissora. (Revista *O Revelador*).

A Moção Votada pela Constituinte Paulista

A moção nº 6, do Deputado Euclydes de Castro Carvalho, foi redigida nos seguintes termos: "Em vista da exposição clara e incisiva que fiz em relação ao fechamento da Rádio Piratininga, proponho à Casa que autorize o Sr. Presidente da Assembléia Legislativa de São Paulo, a redigir telegramas aos Exmos. Srs. Presidente da República, Ministro da Viação e Diretor-Geral dos Correios e Telégrafos, pedindo a reabertura da Rádio Piratininga, praticando, assim, um ato justo e francamente democrático que se ajusta com o regime atual da nossa Pátria. Outrossim, dirigir ao Sr. Governador do Estado de São Paulo, um ofício enviando cópia de tudo quanto foi exposto, para que ele, também, como digno paulista, defensor de todas as causas nobres e justas, como paladino de direito dos oprimidos, possa, com a autoridade que a lei lhe confere, interceder, igualmente, junto aos poderes competentes para que cesse tamanha iniqüidade e injustiça que recaem sobre grande parte do povo brasileiro, sejam reparadas, pois que a Rádio Piratininga, sem favor, gozava de grande simpatia de todos os corações bem formados, que colhiam grande proveito dos seus programas, moral e espiritualmente selecionados, que eram por aquela emissora irradiados. Sala das Sessões, 7 de abril de 1947 – Castro Carvalho".

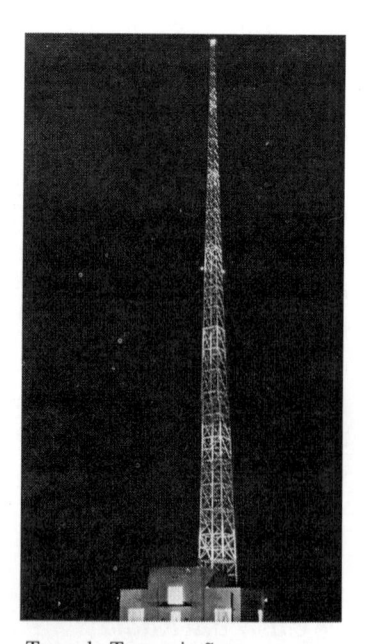

Torre de Transmissão.

A Mesa pôs em votação a moção nº 6 de 1947 do Deputado Sr. Euclydes de Castro Carvalho. E, por fim, o Sr. Presidente da Assembléia a considerou aprovada pelos senhores representantes do povo paulista.

Estúdios da Rádio Piratininga.

f) Rádio Progresso

O insucesso da Rádio Piratininga não foi suficiente para desanimar o idealista confrade Caetano Mero.

Em 29 de agosto de 1954, às 14 horas, ele colocava no ar a Rádio Progresso de São Paulo, com estudio central localizado à Av. da Liberdade, 1034 (fone 32-8708), na cidade de São Paulo; também voltada à divulgação doutrinária espírita.

Convite

Prezado Senhor,

A "Rádio Progresso de São Paulo Limitada", será oficialmente inaugurada no próximo dia 29 de agosto, às 14:00 horas.

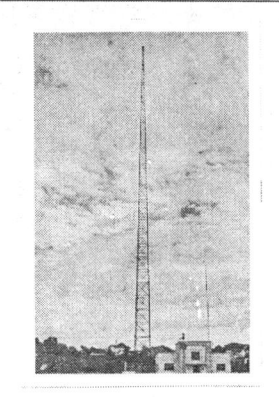

Com o fito de dar maior brilho ao ato solene de abertura daquela emissora, muito apreciaria o valioso concurso da presença de V. Excia. e Exma. Família, no dia e hora mencionados no convite anexo, no local dos seus estúdios provisórios: Rua André Paulinette, 319, no Bairro de Brooklin Paulista, São Paulo.

Na expectativa do honroso comparecimento de V. Excia. antecipadamente agradecemos.

Caetano Mero e Campos Vergal em primeiro plano.

Impressos da Rádio Progresso.

g) Rede Boa Nova de Rádio

Fundado em 1949, o Centro Espírita *Nosso Lar*, inicialmente estabelecido à Rua Ezequiel Freire nº 732, Santana, tinha pela frente grandes missões a serem cumpridas. Em 1958, um chamado do Alto fez com que os companheiros encarnados inaugurassem as *Casas André Luiz* com 212 crianças e que hoje mantém cerca de 1.100 crianças com deficiências físicas e mental, carentes e sem família.

A Espiritualidade, no entanto, não estava satisfeita. O grupo poderia render mais. Outros compromissos viriam pela frente. Os espíritos começaram a insuflar mais idéias: *o Evangelho deve entrar nos lares pelos telhados!* O recado estava dado, mas não foi compreendido. Alguns confrades logo trouxeram à memória as palavras do poeta: *Ora, direis, ouvir estrelas?* Só foram compreender o sentido exato do *Evangelho e os telhados* quando surgiu a oportunidade da aquisição, em março de 1963, da P.R.D. 7, Rádio Clube de Sorocaba. Os proprietários da emissora, espíritas, só a venderiam a pessoas que dessem continuidade à linha doutrinária da Rádio. Sorocaba, palco da primeira palestra espírita em Rádio no Brasil, no ano de 1932, sempre teve tradição da radiodifusão espírita, conforme podemos atestar pelos registros da imprensa espírita desde então.

Iniciou-se, assim, mais um grande projeto do C. E. *Nosso Lar* e, entusiasmado com a aquisição, o grupo, em maio de 1964, comprou a então Rádio Difusora Hora Certa de Guarulhos, do Grupo Paulo Machado de Carvalho. Os próximos passos foram alterar o nome da emissora para Rádio Difusora de Guarulhos e aumentar a potência para mil watts.

Em 1975, a emissora passou a funcionar com 5.000 watts de potência e mudou o nome para Rádio Boa Nova, incorporando o *slogan Em prol de um mundo melhor*.

Um marco na vida da emissora foi a promoção conjunta que realizou com a FEB e a USE em 3 e 4 de outubro de

1987 denominada *Encontro Regional sobre Radiodifusão Espírita*, que teve a participação de mais de 50 confrades radiocomunicadores de cinco Estados e muitas idéias discutidas.

Encontro Regional Sobre Radiodifusão - Espírita — Promoção - *U.S.E* - SP – 1987
Apoio: Rádios *Boa Nova* e *Clube de Sorocaba*.

Deixando de ser uma Rádio local, em 1995 houve um aumento de potência para dez mil watts e, em julho de 2000, para 40.000 watts. Em janeiro de 2000, iniciou-se a transmissão via satélite e, em março, via satélite analógico, e com esses eventos nasceu a Rede Boa Nova de Rádio, que agora faz grandes coberturas nacionais, como o 1º Congresso Espírita Brasileiro realizado em Goiânia. A administração atual da Rede tem Osmar Marsille como Superintendente; Jether Jacomini Filho como Diretor Artístico e Comercial; Éder Fávaro como responsável pela área Doutrinária; e Gastão de Lima Neto como Diretor da Rádio Clube de Sorocaba. A Rede conta, ainda, com um plantel de 45 funcionários e 170 colaboradores espíritas/espiritualistas.

A Rádio Boa Nova atua no prefixo AM 1.450, Grande São Paulo, aguardando um prefixo FM; e a Rádio Clube no prefixo AM 1.080 (Sorocaba e região). Pela Internet o endereço é: www.radioboanova.com.br.

É o Evangelho penetrando nos lares pelos telhados. A missão foi compreendida e realizada.

Programas Radiofônicos mais ouvidos

Diálogos Espíritas

Primeiro programa – 14/02/82

Duração: 60 min.

Direção e apresentação – Éder Fávaro

Participantes da equipe desde o início:

Éder Fávaro, responsável pela programação espírita da Rádio Boa Nova e apresentador do Programa *Diálogos Espíritas*.

Amílcar Del Chiaro Filho, Natalino D'Olivo, Oswaldo Sibinelli, Roberto Tosta, Fausto Macedo, Jether Jacomini Filho, Marisa Álem, Dirceu Lütke, Aglaê Silveira, Mercedes Marim, Arlete dos Santos, Milton Felipeli, Américo Sucena, Leonardo Kursis. D'Olivio e Sibinelli já desencarnaram.

Perfil do programa:

Entrevistas feitas pela equipe com líderes, escritores, professores, advogados, jornalistas, juízes de direito, promotores de justiça, engenheiros, físicos, escritores, artistas, dramaturgos, empresários, sociólogos, médicos, psicólogos, psiquiatras, dirigentes espíritas e personalidades não-espíritas com atuação na sociedade, na promoção da cultura e do homem.

Estudo, análise e comentários de questões doutrinárias e de perguntas encaminhadas pelos ouvintes.

Agenda: Comentários sobre matérias publicadas na mídia escrita espírita, selecionadas dentre os mais de 200 veículos existentes de divulgação do espiritismo.

Foram feitas pela equipe durante o tempo de existência do programa, mais de 400 entrevistas com personalidades espíritas e não-espíritas do Brasil e de outros países, com temáticas sobre a doutrina, religião, direitos humanos, pena de morte, cidadania, política, aborto, cultura, educação, pedagogia, psicologia, psiquiatria, comunicação, voluntariado, segurança, família, etc.

Ação 2000 – Uma visão espírita da notícia

Antiga aspiração dos comunicadores espíritas de São Paulo pode ser concretizada em 4 de setembro de 1997.

Na manhã daquele sábado, diversos integrantes da Associação de Divulgadores Espíritas do Estado de São Paulo – ADE-SP, reuniram-se nos estúdios da Rede Boa Nova de Rádio para apresentar o primeiro programa da série.

O projeto visava manter através do rádio um programa jornalístico à luz do conhecimento espírita, promovendo análises e comentários sobre os acontecimentos noticiados pelos veículos de comunicação social.

Um trabalho – apesar das diversas tendências e diferenças nas especialidades dos comentaristas – cuja unidade doutrinária é mantida sob uma linha estrutural na comunicação radiofônica.

Por intermédio do radialista Éder Fávaro, Presidente da ADE-SP na época, a direção da emissora formulou o convite para o grupo. Aceito o convite, a equipe estabeleceu a filosofia do programa: comentar os fatos sociais, culturais, políticos, científicos, morais, propondo uma reflexão à luz do conhecimento espírita aos seus ouvintes.

Os ouvintes participam interagindo com os comunicadores, fazendo perguntas, sugerindo, comentando e opinando.

O lema do programa é: *A ADE comenta, analisa e estuda o assunto, mas não fecha a questão.*

O prestígio desfrutado por *Ação 2000* deve-se à linha editorial do programa. A direção escolhe com cuidado as notícias publicadas nos veículos da mídia escrita para serem comentadas.

Ação 2000 resume-se em sessenta minutos de espiritismo dinâmico, como proposta de estudo. Por essa razão é que se ouve nos comentários dos ouvintes que Allan Kardec encontra-se presente todas manhãs de sábado, pelos 1.450 – AM – Grande São Paulo, 1.080 – Sorocaba / SP e Região – via parabólica para todo o Brasil e via Internet – *on-line* e *off-line*.

A equipe atual é composta pelos seguintes comunicadores da ADE-SP: Éder Fávaro, idealizador e diretor do programa, Aglaê Silveira, Américo L. Sucena de Almeida, Amílcar Del Chiaro Filho, Arlete dos Santos, Dirceu Lütke, Gércio Tanjoni, Hamilton Saraiva, Ida Dela Mônica, Ivan René Franzolim, Julia Nezu, Leonardo Kursis, Marco Antonio Guerrero, Marisa Álem, Mercedes Marim, Milton Felipeli, Tarcisio Basílio e Wilson Garcia.

Histórico da Rádio Boa Nova

1956 – Fundada a Rádio pelo Grupo Paulo Machado de Carvalho.

1963 – Adquirida a Rádio Clube de Sorocaba.

1964 – Adquirida pelo *Centro Espírita Nosso Lar/Casas André Luiz* (Rádio Difusora Hora Certa, hoje Rádio Boa Nova).

1975 – Aumento da potência dos transmissores para 5.000 watts.

1995 – Aumento da potência dos transmissores para 10.000 watts.

2000 – Formada a Rede Boa Nova de Rádio e início das Transmissões Via Satélite, pelos sistemas analógico e digital.

2000 – Aumento da potência dos transmissores para 40.000 watts.

2002 – Aguardando a concessão de um canal em FM, pela Anatel.

* * *

A Diretoria voluntária da Fundação Espírita André Luiz é formada pelos seguintes componentes eleitos por um Conselho de 50 membros:

Presidência: José Antonio Lombardo

Vice-Presidência: Eurípedes Rodrigues dos Reis

Secretária: Silvana Scarpino

Tesoureiro: Manoel Gonçalves Bolonha

* * *

A administração é formada pelos seguintes componentes:

Diretor Superintendente: Osmar Marsili

Diretor Artístico e Comercial: Jether Jacomini Filho

Diretor Doutrinário: Éder Fávaro

* * *

h) Outros programas

Entre Dois Mundos

Sob o título acima, a *Sociedade de Estudos Espíritas "3 de Outubro"* levou ao ar, pela Rádio Difusora de São Paulo, por vários anos, nas manhãs de domingo, este programa de difusão doutrinária.

Publicados alguns dos textos que foram ao ar, posteriormente, em livro pela LAKE, o Programa teve grandes intelectuais espíritas revezando-se ao microfone: Vinícius, Prof. Anselmo Gomes, Anita Briza, Benedito Godói Paiva, Dr. Luiz Monteiro de Barros, Herculano Pires, Profª Luiza Peçanha de Camargo Branco, Nancy Puhlmann, Neyde Schneider, General Levino Cornélio Wischral, Dr. João Pereira de Castro, Dr. Hernani Guimarães Andrade e outros.

A Sociedade mantinha o *Sanatório 3 de Outubro*, em Campos do Jordão, para tratamento de tuberculosos.

No Limiar do Amanhã

Indo ao ar em junho de 1971 pela primeira vez, *No Limiar do Amanhã* foi um programa espírita apresentado por Herculano Pires, que logo caiu no gosto popular e se manteve vários anos irradiado pela Rádio Mulher, de São Paulo, aos domingos às 18:30 h. Sua seção de perguntas e respostas tornou-se a grande alavanca jornalística do programa.

Convidado pelo radialista Roberto Montoro, Herculano Pires assim historiou o mesmo, em entrevista publicada no *Anuário Allan Kardec - 75*:

Quem inventou de levá-lo ao ar foi o Montoro e quem estruturou fui eu. Pertencemos ambos ao Grupo Espírita Emmanuel, de São Bernardo do Campo, que patrocina o programa. Tudo é feito na base do leite de pato. E graças a isso gozamos da mais ampla liberdade.

Podemos tratar do Espiritismo em todos os seus aspectos sem qualquer restrição e responder a qualquer pergunta.

No começo tivemos uma equipe de colaboradores entusiastas e fizemos até mesmo programas de auditório. Depois os colaboradores se evaporaram. Hoje conto com a dedicação de Jurema Yara e Dulcemar Vieira, locutoras de rádio. Já estamos no quarto ano de transmissões, havendo cada vez maior interesse do público. Acho que acertei com a fórmula. O programa é transmitido também pela Rádio Morada do Sol de Araraquara, e pela Rádio Difusora Platinense, de Santo Antonio da Platina, Paraná. Nesta última, Aldrovandro Góes – um sujeito que é como a girafa: não existe e nem pode existir – distribui gravações do programa para mais de uma dezena de emissoras daquele Estado, de Minas Gerais, do nosso próprio Estado e do norte e nordeste, inclusive para uma emissora do Recife.

Na Rádio Morada do Sol, de Araraquara, em 1998 o programa ainda era levado ao ar aos sábados, às 19 horas, segundo conseguimos apurar.

Breves conclusões

O início das transmissões radiofônicas revolucionou as comunicações. Quando surgiu a televisão, previu-se erroneamente que a Era do Rádio tinha os dias contados.

Isso não aconteceu. Há espaço e público para Rádio, TV, e, agora, Internet. Cada veículo tem sua própria linguagem, seu público, sua maneira de comunicar.

O rádio sobreviveu a todos os avanços tecnológicos e continuará tendo seu espaço na comunicação de massa. A dona de casa cumprindo seus afazeres domésticos, o estudante fazendo sua lição de casa, o pai lendo jornal, o executivo acompanhando o esporte à direção de seu carro, a jovem curtindo a parada de sucesso, todos têm seu momento diário junto ao rádio, embora façam uso dos demais meios de comunicação.

Daí tirarmos a conclusão de quão importante é a divulgação espírita pelas ondas hertezianas.

No ar, caros ouvintes, as idéias espíritas.

Capítulo 5
Registros Importantes

a) *Anuário Espírita*
b) *Clube dos Jornalistas Espíritas*
c) Primeiro programa espírita na TV
d) Novela *A Viagem*
e) *Pinga-fogo* com Chico Xavier
f) IXº CONBRAJEE – Congresso Brasileiro de Jornalistas e Escritores Espíritas

Cairbar Schutel
Patrono do VIIIº CONBRAJEE.

a) *Anuário Espírita*

Em 1964, foi editado em Araras, pela primeira vez, o *Anuário Espírita* pelo Instituto da Difusão Espírita (IDE), que alcançou trinta e seis números. Seu primeiro Diretor foi Lauro Michelin e grandes jornalistas e escritores espíritas já escreveram em suas páginas. Médiuns reconhecidos como Chico Xavier, Ivone Pereira, Dolores Bacelar, Waldo Vieira, Zilda Gama, Antonio Baduy Filho, Carlos Bacelli, Divaldo Pereira Franco estiveram e estão no anuário.

A edição mais recente, ano 2002, apresenta como Diretor Hércio Arantes e colaboradores Alberto Flores, Antonio de Souza Lucena, Claudio de Oliveira Santos, Eduardo Carvalho Monteiro, Elias Barbosa, Hércio Marcos C. Arantes e Washington Fernandes.

Sua utilíssima linha editorial apresenta artigos históricos, reportagens de obras espíritas, entrevistas, biografias, panorama do que aconteceu no movimento espírita durante o ano, páginas mediúnicas, documentos espíritas, o espiritismo no meio leigo e na mídia, ilustrações, fotos, etc.

b) Clube dos Jornalistas Espíritas

Em 23 de janeiro de 1948, foi fundado o atualmente *Clube dos Jornalistas Espíritas de São Paulo* formado por jornalistas profissionais da imprensa escrita diária e de rádio, escritores que professavam o Espiritismo, redatores e colaboradores de órgãos de propaganda doutrinária na sede do *Sindicato dos Jornalistas Profissionais do Estado de São Paulo*.

Diretoria Provisória:

Presidente: Dr. Domingos Antonio D'Angelo Neto; Secretários: Paulo Alves de Godoy e Wandick Freitas; Tesoureiro: Eduardo de Almeida Prado Filho.

Sede Provisória:

Praça da Sé, nº 297 – 4º andar – Sala 418 A (Palacete Santa Helena).

Fac-Símile da notícia de Fundação do Clube.

Presidindo a mesa Herculano Pires; a seu lado direito Ignácio Giovine e, à esquerda, Carlos Jordão da Silva.

Cientes e conscientes os seus membros de que o maior tesouro do ser inteligente está concretizado na luta intemerata em prol da fraternidade universal, o *Clube dos Jornalistas Espíritas de São Paulo*, de uma forma geral, patrocinará ou apoiará todos os empreendimentos que tenham por mira a consecução desse nebiliante ideal, estendendo-se ao campo da assistência social.

Herculano Pires proferindo Palestra em Jundiaí (1953).

Algumas lutas do *Clube* em defesa do Espiritismo: Campanha do Livro Espírita (abril/1950); Polêmica com o jornal *O Estado de S. Paulo* sobre "Ciência e Espiritismo" (janeiro/1953); Manifesto ao grande público diferenciando Espiritismo e Umbandismo (agosto/1955); Reivindicação de liberdade religiosa no Hospital do Mandaqui (novembro/1956); Desaprovação ao Projeto de Diretrizes e Bases da Educação Nacional (junho/1960); Declaração Espírita de defesa à Escola Pública (outubro/1960); Campanha de Defesa da Educação Brasileira (fevereiro/

1962); Protesto pelos 10 anos de fechamento arbitrário da *Federação Espírita Portuguesa* (janeiro/1964).

c) Primeiro programa espírita na TV

Programa de entrevistas e debates, *Em Busca da Verdade* foi criado e apresentado ao vivo por Jorge Rizzini na TV Cultura de São Paulo, canal 2, às segundas-feiras, das 21 às 22 horas.

Flagrante do Programa no ar.

Jorge Rizzini.

Pioneiro na TV na história do Espiritismo no Brasil, *Em Busca da Verdade* estreou na noite de 2 de maio de 1966 com uma entrevista realizada por Rizzini com os médiuns Chico Xavier e Waldo Vieira, atingindo logo grande audiência, apesar de o Espiritismo em 1966 ser ainda por demais combatido pelo clero católico. O *Diário da Noite* publicava às segundas-feiras um anúncio do programa com 24 cm de altura por 15 de largura.

Um dos programas memoráveis foi o que revelou ao público a vida de Allan Kardec, por meio de perguntas de Rizzini e respostas alternadas de Herculano Pires e Júlio Abreu Filho. *Em Busca da Verdade* foi, também, apresentado por Jorge Rizzini no Rio de Janeiro, na TV Continental. O programa iniciado em maio de 1966 em São Paulo terminou em novembro de 1967. Um ano e meio de duração, tempo suficiente para promover importantes debates com opositores da Doutrina Espírita e realizar entrevistas históricas com Chico Xavier, Deolindo Amorim, Pietro Ubaldi e, entre outros, o filósofo argentino Humberto Mariotti.

d) Novela *A Viagem*

No ano de 1975, o Brasil esteve preso à TV assistindo a novela *A Viagem*, uma criação da dramaturga Ivani Ribeiro, assessorada pelo Prof.

Herculano Pires, e baseada na obra *Nosso Lar*, do Espírito André Luiz, psicografada por Chico Xavier.

A novela, com grande audiência, esteve no ar por seis meses na TV Tupi, antigo canal 4 de São Paulo. Seu texto apresentava a morte como uma simples viagem, "tirando-lhe o caráter sombrio e aterrador que foi dado pelos homens a esse fato natural" conforme esclareceu Herculano Pires. Proselitista, a novela mostrou conceitos consoladores apoiados por investigações científicas sobre o problema da morte.

Capa do livro.

e) *Pinga-fogo* com Chico Xavier

Alguém apropriadamente definiu alhures: *Um verdadeiro show de luzes. Pingou luzes na TV, ao invés de fogo.* De fato, a noite de 27 de

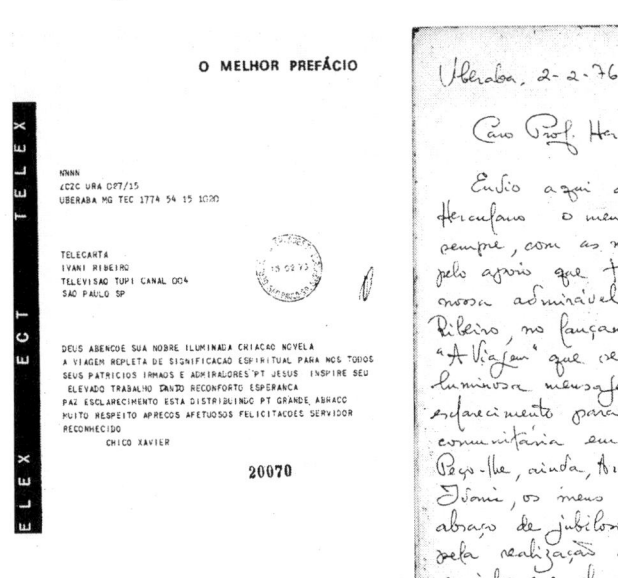

Carta de Chico a Herculano.

julho de 1971 foi diferente. À frente da TV, milhares de espectadores acompanharam emocionados um espetáculo da cultura, sabedoria, amor e humildade de um homem que é unanimidade nacional: Chico Xavier.

A entrevista de Chico Xavier no canal 4, TV Tupi, São Paulo, teve extraordinária repercussão e tornou-se assunto nacional. Repetido nos dois dias seguintes em São Paulo, seu vídeo-tape percorreu todas as capitais do Brasil com o mesmo sucesso. Todos os jornais noticiaram com destaque e detalhes as respostas do médium de Uberaba sobre tudo de ensaio, a morte de Arigó, reencarnação, umbanda, homossexualismo, Era de Aquárius, a missão do Mundo e os mais variados temas que afligem ao homem.

Em 20 de dezembro de 1971, Chico retornou ao *Pinga-Fogo* repetindo o sucesso do primeiro, desta vez transmitido para vários Estados. Quase cinco horas de entrevista encerrada com uma psicografia de Castro Alves. Como destacou com muita felicidade a manchete de um jornal do dia 21 de dezembro: *O Brasil acordou sorrindo*.

f) IXº CONBRAJEE – Congresso Brasileiro de Jornalistas e Escritores Espíritas

Data: 18 a 21 de abril de 1986.
Local: São Paulo, Capital.

Relatório pelo Secretário Executivo Eduardo Carvalho Monteiro

a) Foram realizadas 39 reuniões gerais pela Comissão Organizadora e colaboradores diversos, e inúmeras reuniões das sub-comissões. A Comissão Organizadora esteve reunida permanentemente de 20/3 até o início do Congresso.

Regulamento do IX CONBRAJEE.

Equipe organizadora do IXº CONBRAJEE.

b) Foi realizada uma feira do Livro Espírita na Estação São Bento do Metrô, a de maior movimento na cidade, em julho de 1984 para arrecadação de fundos e divulgação da Doutrina.

c) Dois Festivais Menestréis de Música em 1983 e 1984 visando aglutinar jovens para o trabalho no Congresso.

d) Foram editados quatro boletins CONBRAJEE, com tiragens de 1.000 exemplares cada, contendo informações básicas sobre o desenrolar dos preparativos, e foram enviados aos quase 500 sócios da ABRAJEE, a 28 Federações Espíritas, a 138 jornais e revistas espíritas, a 40 Editoras e a todos os que solicitaram.

e) Foram realizadas três Prévias para o Congresso, sendo a 1ª em Matão, quando se idealizou o 1º Encontro Nacional de Editoras de Livros Espíritas; a 2ª em Bauru, quando se discutiu e aprovou o Regimento Interno do Congresso; e a 3ª em Campinas, quando se definiu a programação do IXº CONBRAJEE.

f) Recorremos ao quadro associativo da ABRAJEE para o início da arrecadação de fundos do Congresso solicitando a contribuição de Cr$ 20.000,00, através de um pagamento mensal de Cr$ 2.000,00 por um carnê intitulado PRÓ-CONGRESSO e obtivemos a seguinte resposta: 33% paga-

Painel do Congresso dirigido por Wilson Garcia.

ram integralmente numa prestação; 7%, idem, a mais; 45% pagaram parceladamente; 2% recusaram pagar; 1% havia desencarnado; e 12% não responderam. Muitos contribuíram e não eram associados da ABRAJEE.

g) Também visando arrecadar fundos promovemos a rifa de um belo quadro psicopictografado por João Pio de Almeida Prado.

h) Divulgamos o Congresso concomitantemente à comemoração do Dia da Imprensa Espírita, comemorado em 26 de julho de todos os anos, por meio de palestras e painéis nas tertúlias dominicais da Federação Espírita do Estado de São Paulo nos anos de 1983/84/85.

i) Criamos o logotipo *CONBRAJEE-86 – Venha apontar novos caminhos*, representado pe-

Informativo nº 1 do Congresso.

los dizeres acima e um lápis com a ponta quebrada indicando um duplo sentido: o lápis a ser apontado; e o lápis como uma seta indicando um caminho.

j) Criamos uma campanha publicitária denominada *Teasers* para despertar a curiosidade e a surpresa do público. (dois meses veiculando os *teasers* e um mês com as explicações referentes ao Congresso.)

k) Pela primeira vez na história dos Congressos foi editado um livro sobre a figura do Patrono.

Informativo nº 2 do Congresso.

l) Foram recebidas de 1º/1/85 a 4/86 aproximadamente 700 correspondências e enviadas 1.800 cartas e ofícios. Além disso, foram remetidos milhares de *press-releases*, malas diretas, telex e telegramas, além de muitas visitas visando a divulgação do Congresso.

Dados do Congresso em si:

– Custos estimados: Cz$ 150.000,00
– 180 inscritos
– 25% não compareceram
– 51 pessoas foram debatedores e expositores nos painéis e seminários
– 7 Estados ausentes: Amazonas, Acre, Piauí, Rio Grande do Norte, Mato Grosso, Sergipe e Maranhão

Livro lançado no Congresso homenageando o Patrono.

- 16 Estados presentes: SP (75); RJ (38); BA (19); PR (15); DF (8); PA; PE (4); RS; SC (3); MG (2); AL; GO; CE; ES; PB; MS (1)
- 2 Países Estrangeiros: Argentina (2) e EUA (1)
- Aprovações:

    Proposições (15)

    Moções (4)

    Teses (1)
- Trabalhos aprovados na Plenária – 7
- Trabalhos aprovados pela Comissão de Teses e que não foram à Plenária – 3
- Trabalhos não-aprovados pela Plenária – 1. Total – 31
- Ausências de oradores justificadas: Suely C. Schubert, Salvador Gentile, Jorge Andrea, Jacy Régis e Clóvis Ramos
- Ausências não-justificadas: Richard Simonetti, Roque Jacintho, Jerônimo Mendonça e Newton G. de Barros
- Número de confrades da Comissão Organizadora: 8
- Número de confrades que trabalharam durante o Congresso: 20

CONBRAJEE/86 – COMISSÃO ORGANIZADORA
WILSON GARCIA, Presidente.
HÉLIO ROSSI, Coordenador.
EDUARDO CARVALHO MONTEIRO, Secretário Geral.
LENIR LÉA DE FIGUEIREDO, Secretária.
JOÃO EMÍLIO DE BRUIN, Tesoureiro.
HELENA M. C. CARVALHO, Trabalhos e Teses.
IVANIR DO CARMO CAURIN, Recepção e Hospedagem.
WALMIR CEDOTTI, Divulgação.

PROGRAMA – CONBRAJEE/86
18 a 21 de abril de 1986/São Paulo-SP

DIA	HORÁRIO	ATIVIDADE
18	08h00 às 18h00	Recepção aos Congressistas Novas Inscrições Local – **Instituto Espírita de Educação**
	20h00	Abertura Oficial do CONBRAJEE/86 Local – A ser confirmado Orador – DIVALDO PEREIRA FRANCO Lançamento do Livro *CAIRBAR SCHUTEL - O BANDEIRANTE DO ESPIRITISMO* Lançamento do CARIMBO POSTAL comemorativo Homenagem a DEOLINDO AMORIM (fundador do Congresso)
19	08h00	Recepção aos Congressistas Novas Inscrições Distribuição do material Local – **Instituto Espírita de Educação**
	09h00	Revisão do Congresso de Salvador
	10h00	**TÉCNICAS EM COMUNICAÇÃO** **Seminário nº 1** – Teatro Espírita, Texto, Montagem e Interpretação **Seminário nº 2** – Como fazer um jornal espírita moderno **Seminário nº 3** – Técnicas de Relações Públicas em Centros Espíritas
	12h00 às 14h00	Intervalo para almoço
	14h00	**LITERATURA ESPÍRITA — TEORIA E HISTÓRIA** – Sentido Amplo e Estrito – **Painel nº 1** – Subsídios para a História da Literatura Espírita **Painel nº 2** – Literatura Espírita em Sentido Amplo e Estrito Aspectos Teóricos **Painel nº 3** – Fatos Espíritas na Literatura Universal
	14h00 às 18h00	**I ENCONTRO NACIONAL DE EDITORES DE LIVROS ESPÍRITAS**
	16h00	**LITERATURA ESPÍRITA (EM SENTIDO ESTRITO)** **Painel nº 4** – Literatura Infantil Espírita **Painel nº 5** – Estudando a Poesia Espírita **Painel nº 6** – Literatura Espírita - Abordagem inicial como Subsídio para uma Crítica Literária
	18h00	Encerramento dos trabalhos Lanche

DIA	HORÁRIO	ATIVIDADE
20	08h00	**A CIÊNCIA NA OBRA ESPÍRITA**
		Seminário nº 4 – Aspectos Científicos na Obra de André Luiz
		Seminário nº 5 – Fenômenos Mediúnicos – Subsídios de Parapsicologia - Bibliografia
		Seminário nº 6 – Fenômenos na Hora da Morte – Bibliografia Espírita e Não Espírita
	10h00	**ANÁLISE DE CASOS**
		Painel nº 7 – Experiências no Jornalismo Espírita
		Painel nº 8 – Os Autores Espíritas
		Painel nº 9 – Experiências em Rádio e TV
	12h00 às 14h00	Intervalo para almoço
	14h00	**LITERATURA ESPÍRITA — VÁRIOS ÂNGULOS**
		Painel nº 10 – Literatura Espírita – Conteúdo e Tendências
		Painel nº 11 – Espiritismo na Literatura de Cordel
		Painel nº 12 – Herculano Pires – Obras
	16h00	**LINGUAGEM JORNALÍSTICA E PUBLICITÁRIA**
		Painel nº 13 – Linguagem e Técnicas Publicitárias na Divulgação Espírita
		Painel nº 14 – Doutrinação e Informação na Imprensa Espírita
		Painel nº 15 – Formas de Abordagem aos que buscam o Centro Espírita
	18h00	Encerramento dos trabalhos
		Lanche
21	08h00	Reunião Plenária
		Trabalhos, Teses, Moções, etc.
	11h00	**ENCERRAMENTO OFICIAL DO CONBRAJEE/86**
		Tema: Primeiros Resultados e Perspectivas Futuras
		Apresentação – Coordenação do Congresso

Capítulo 6
Imprensa Espírita Contemporânea

a) Referências a publicações espíritas (1951 – 1981)
b) Imprensa espírita contemporânea (Exposição de fac-símiles de Periódicos)

União e Crença
Primeiro Periódico Espírita de
São Paulo (1881).

a) Referências a publicações espíritas (1951 – 1981)

A constante melhoria dos recursos de impressão, da linotipia para o sistema *off-set*, e a introdução recente da tecnologia da informática, proporcionou uma maior proliferação das folhas e revistas em geral, refletindo-se na Imprensa Espírita a partir dos anos 50.

A seguir, apresentamos uma relação de alguns periódicos espíritas paulistas até 1980 que, certamente, necessita de complementação. As datas referem-se à fundação ou ao ano em que circulavam.

Década de 50

A *Folha Juventina* (Araraquara, 1951)
O Doutrinador (Capital, 1953)
Mensageiro da União (Santos, 1953)
O Mensageiro (Leme, 1957)
Ilustração Espírita (Capital, 1954)
Nova Era (Capital, 1955)
Cáritas (Capital, 1955)
A Voz da Juventude (Tupã, 1955)
O Porvir (Capital, 1955)
Santa Aliança do Terceiro Milênio (Capital, 1955)
O Verbo (Capital, 1955)
Irradiação (Osasco, 1956)
Cruzeiro Espírita (Cruzeiro, 1957)
Vidas Sucessivas (Capital, 1957)
Paz e Alegria (Piquete, 1957)
O Arauto (Capital, 1957)
Pinhal Espírita (Pinhal, 1957)
Bauru Espírita (Bauru, 1958)
Progresso Espírita (Capital, 1958)
Fonte Viva (Capital, 1958)
Libertação (Araras, 1959)
Mensagens (Garça, 1959)
Coletânea Espírita (Capital, 1959)

União (São José do Rio Preto, 1959)
U. B. E. (Capital, 1959)

Década de 60

O Amanhã Nasce do Agora (Capital, 1960)
O Espírita (Osasco, 1962)
Boletim Informativo (Presidente Prudente, 1962)
Espiritismo e Unificação (Santos, 1962)
III Conclave Regional de Mocidades Espíritas (São João da Boa Vista, 1963)
Alvorada (Santo André, 1963)
Universitário Espírita (Capital, 1963)
A Verdade (Piracicaba, 1963)
O Jesualdense (Capital, 1963)
Espírito é Verdade? (Capital, 1963)
Os Tempos Chegaram (Santo André, 1963)
Legião (Santos, 1963)
Santos Espírita (Santos, 1964)
Mensageiro Espírita (São Carlos, 1964)
Sinárquico (Capital, 1964)
Despertador (Capital, 1964)
Folha Espírita (Atibaia, 1964)
A Fagulha (Sorocaba, 1964)
O Amanhã Nasce para Todos (Capital, 1964)
Atualidade Espírita (Jundiaí, 1965)
Voz Jesualdense (Capital, 1965)
Movimento de Fraternidade (Guaratinguetá, 1966)
Doutrina Espírita (Santos, 1966)
Infância Espírita (São José do Rio Preto, 1966)
Correio Fraterno do ABC (São Bernardo do Campo, 1967)
IBPP (Capital, 1967)
O Fraternista (Capital, 1967)
O Meakino (Campinas, 1967)
Migalhas de Luz (Taubaté, 1967)
A Fagulha (Campinas, 1967)
Atualidade (Capital, 1967)

Edicel (Capital, 1967)
Revista da Fraternidade (Cruzeiro, 1967)
A Seara (Capital, 1967)
Esperança (Ibitinga, 1968)
Limeira Espírita (Limeira, 1968)
Mensagem (Itapira, 1968)
O Cenáculo (Catanduva, 1968)
Codificação do Século XX (Capital, 1968)
O Fabianinho (Capital, 1969)
O Anjo da Guarda (Capital, 1969)
Mundo Maior (Capital, 1969)
No Tempo e no Espaço (Ribeirão Preto, 1969)
Roteiro de Luz (Leme, 1969)

Década de 70

O Mensageiro (Mogi das Cruzes, 1970)
Revista André Luiz (Capital, 1970)
O Clarão (Franca, 1970)
Comunicação (São Bernardo do Campo, 1970)
Presença (Campinas, 1970)
O Terceiro Milênio (São Caetano do Sul, 1970)
A Semente (Capital, 1971)
Caminho da Luz (Araraquara, 1971)
O Espírito Universitário (Capital, 1972)
O Trevo (Capital, 1973)
O Caminho (Taubaté, 1973)
Boletim Informativo (Ribeirão Preto, 1973)
Revista André Luiz (Capital, 1973)
Com Kardec (Capital, 1974)
Contato (Assis, 1974)
Folha Espírita (Capital, 1974)
Revelação (São José do Rio Preto, 1974)
Mensagem (Capital, 1975)
A Meta (Capital, 1975)
Espiritismo é Vida (Capital, 1975)
Gotas de Luz (Ourinhos, 1975)

Gotas de Luz (Catanduva, 1975)
Jornal Espírita (Capital, 1975)
O Arauto (Piracicaba, 1975)
Espiritismo Hoje (Capital, 1976)
Sou Criança (Santos, 1976)
Antena Espírita (Batatais, 1976)
Informação (Capital, 1976)
Jornal do Livro Espírita (Mogi das Cruzes, 1976)
Meb-Mural (Bauru, 1976)
Jornal do Livro Espírita (Mogi das Cruzes, 1976)
Panfleto (Bauru, 1976)
O Grupo (Capital, 1977)
Argumento (Capital, 1978)
O Movimento Espírita (Itapira, 1978)
Objetivo (Osasco, 1978)
O Mensageiro (Araraquara, 1978)
Vinha de Luz (Guarulhos, 1978)
Boletim Informativo da UME – Araraquara (Araraquara, 1979)
O Caravaneiro (Capital, 1979)
Interna Informilo Sorokaba Esperanto Klubo (Sorocaba, 1979)
Visão Espírita (Franca, 1979)
Libertas (Sumaré, 1979)
Boletim Informativo da UME (Araçatuba, 1979)

Década de 80

Boa Nova (Catanduva, 1980)
Boletim Informativo do Lar da Família (Capital, 1980)
Caminho da Luz (Capivari, 1980)
Presença (Araras, 1980)
Recado (Ribeirão Preto, 1981)

******

Segundo informações do *Jornal Aja! Notícias*, ano I, número 1, de março-abril de 1992, Boletim este da *Associação dos Jornalistas Espíritas do Estado de São Paulo*, nessa data havia 120 periódicos no Estado; a maioria em forma de boletim de pequena tiragem e periodicidade irregular. Completa a informação afirmando que são 26 os veículos de imprensa que editavam, nesta data, cerca de 110.000 exemplares de propaganda espírita. Levando-se em consideração uma taxa de encalhe de 10%, assinantes que recebem mais de um jornal por edição, jornais que são remetidos para leitores fora do Estado e, ainda, a expectativa de leitura de cada jornal por três pessoas, chegamos à conclusão de que não mais do que 200.000 pessoas lêem jornais espíritas no Estado de São Paulo, o que significaria menos de 10% do público estimado que se interessa pela Doutrina.

b) Imprensa espírita contemporânea (Exposição de fac-símiles de Periódicos)

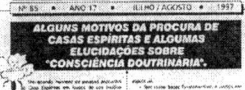

Capítulo 6 — Imprensa Espírita Comtemporânea

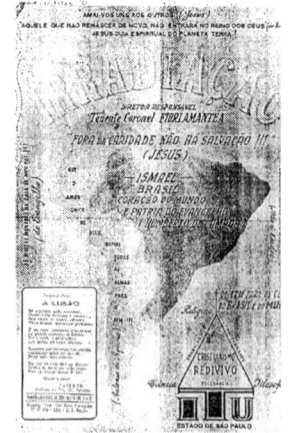

140   *Cem Anos de Comunicação Espírita em São Paulo*

Capítulo 6 — Imprensa Espírita Comtemporânea

DIVULGADOR ESPÍRITA

Guardemos Paciência

Lembrete oportuno de KARDEC

LIVRO ESPÍRITA: LEIA E DIVULGUE

Comemorado o Dia dos Espíritas na Assembléia Legislativa do Estado de São Paulo

DEUS CRISTO E CARIDADE

Letra Espírita

Paz na Terra

MeTa

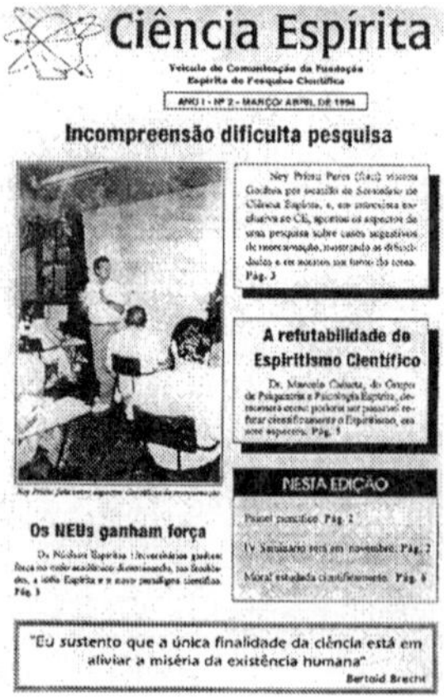
Ciência Espírita

Incompreensão dificulta pesquisa

A refutabilidade do Espiritismo Científico

Os NEUs ganham força

NESTA EDIÇÃO

"Eu sustento que a única finalidade da ciência está em aliviar a miséria da existência humana"

Bertold Brecht

O CARAVANEIRO

Você tem medo da "lepra"?

O TREVO

Devemos pedir a Deus para ganhar na loteria?

Lembrando o Dr. Bezerra, o "Kardec brasileiro", em seu aniversário

Correspondência: Escola de Aprendizes

Esclarecendo: CEAE Genebra e a Aliança

Religiões e Filosofia

Divaldo fala sobre os Elementais

EDGARD ARMOND

Preto da Casa: "Sem Medo de Ser Feliz"

NOVO LIVRO DA SÉRIE ARMOND

DIMENSÕES

INFORMATIVO ESPÍRITA

70 anos da desencarnação de Gabriel Delanne

Um Continuador da Obra de Allan Kardec

BAURU ESPÍRITA

Nosso Pensamento

Concurso de Oratória

Panorama Espírita

Apelo

Aguardem!! Vem Aí...

FESTIVAL PANORAMA ESPÍRITA 5 ANOS

Nesta Edição

PATERNIDADE DE DEUS

Capítulo 6 — Imprensa Espírita Comtemporânea

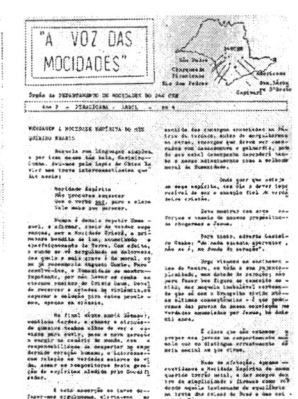

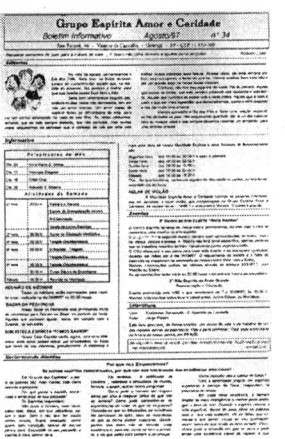

VERITAS

SOMBRAS DO ALÉM

Os tempos são chegados

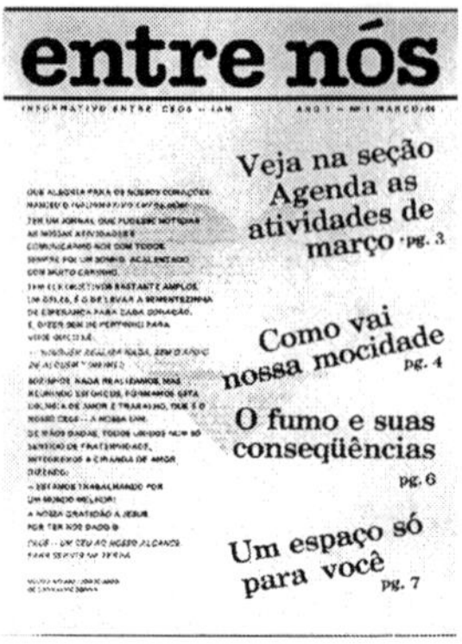
entre nós

Veja na seção Agenda as atividades de março pg. 3

Como vai nossa mocidade pg. 4

O fumo e suas conseqüências pg. 6

Um espaço só para você pg. 7

Divulgador do Livro Espírita

Os bibliotecários e a reclassificação do livro espírita

Seminário de Preparação e Organização de Feiras, Clubes e Bancas do Livro Espírita

A P E L O

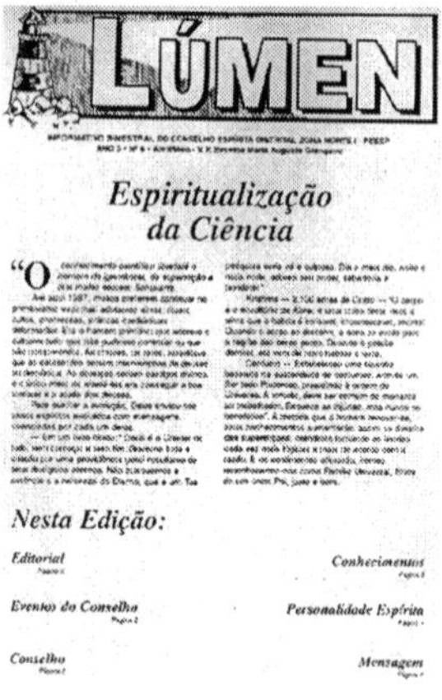
LÚMEN

Espiritualização da Ciência

Nesta Edição:

Editorial

Conhecimentos

Evento do Conselho

Personalidade Espírita

Conselho

Mensagem

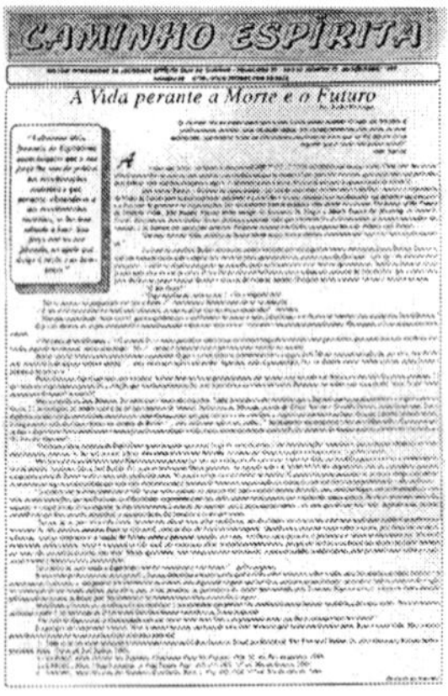
CAMINHO ESPÍRITA

A Vida perante a Morte e o Futuro

ESPIRITISMO E UNIFICAÇÃO

U.S.E.

Editorial

ÍNDICE DAS MATÉRIAS:

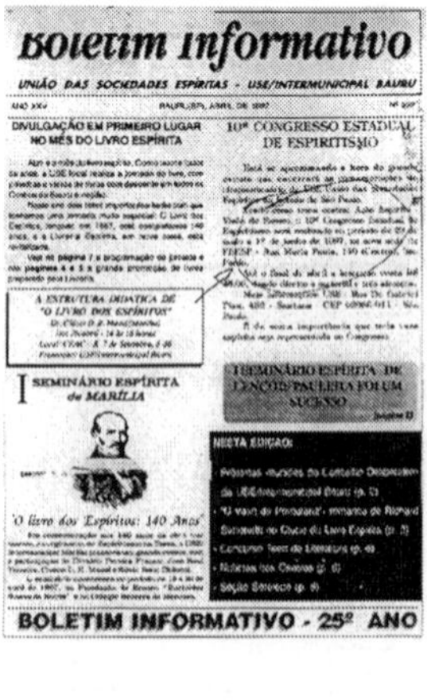
Boletim informativo

UNIÃO DAS SOCIEDADES ESPÍRITAS - USE/INTERMUNICIPAL BAURU

DIVULGAÇÃO EM PRIMEIRO LUGAR NO MÊS DO LIVRO ESPÍRITA

10º CONGRESSO ESTADUAL DE ESPIRITISMO

I SEMINÁRIO ESPÍRITA de MARÍLIA

NESTA EDIÇÃO:

BOLETIM INFORMATIVO - 25º ANO

FUNDAÇÃO ESPÍRITA ANDRÉ LUIZ

Informativo

O SONHO COMEÇA A SE TORNAR REALIDADE

A partir de 1º de outubro de 1999 nasce um novo momento na divulgação da Mensagem Espírita. Nasce a REDE BOA NOVA DE RÁDIO. Página 3.

Lançamentos da Editora Mundo Maior

Agenda Mundo Maior

" Vôo Livre"

AÇÃO ESPÍRITA

XXV MÊS ESPÍRITA DE ADAMANTINA e FEIRA DO LIVRO

Em Outubro

Palestras aos sábados, 20 horas

DIA 04 O HOMEM DE BEM Orador: JOSE ANTONIO LUIZ BALIEIRO (Ribeirão Preto)

DIA 11 REENCARNAÇÃO E ABORTO Oradora: NELI DEL NERY PRADO (Bauru)

DIA 18 QUE É DEUS? Orador: ELISEU F. DA MOTA JUNIOR (Franca)

DIA 25 SHOW "TERRA AZUL" com o músico MOACIR CAMARGO (São Paulo)

AVE CRISTO

Capítulo 6 — Imprensa Espírita Comtemporânea

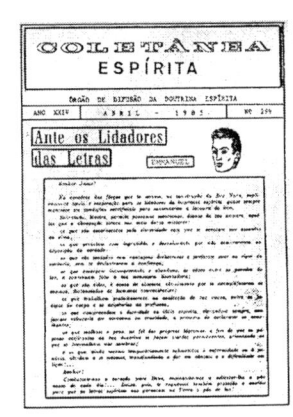

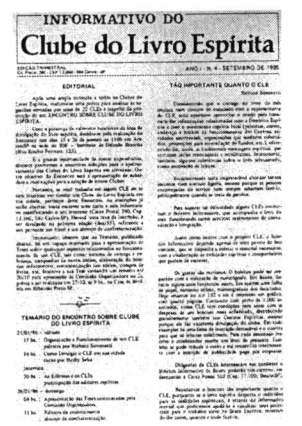

espiritismo HOJE

MÉDIUM USA OLHO DE LOBO PARA SALVAR VISTA HUMANA

URI GELLER

DIVALDO FRANCO

H. RODRIGUES

FANTASMA DE SOPRANO CANTA NO TEATRO MUNICIPAL DE S. PAULO

Princípio Inteligente: agora, a posição pró-mineral

jornal espírita

Diálogo entre fé e razão

A cura pela fé, um poder regenerador ao alcance de todos

Intolerância e autos-de-fé, as vitórias do Espiritismo

Unificação X Livre-arbítrio

A VOZ DO ESPÍRITO

VDOphone: contato com imagem e som

Elogio passa a ser vício no Movimento Espírita

Ubaldi queria fazer reformas na Doutrina

Homossexualismo: como entendê-lo?

IMPRESSO

Correio DIDIER

Harmonia

Alavanca

Silvia Bellucci

Leia mais:

A Formação do "Parnaso de Além Túmulo"

12º CONGRESSO ESTADUAL DE ESPIRITISMO

Cultive a Paz

mensagem

PÂNICO NA SESSÃO DE MATERIALIZAÇÃO

ESPIRITISMO E UNIFICAÇÃO

AVISO

MOÇADA Espírita

NÃO PERCAM!

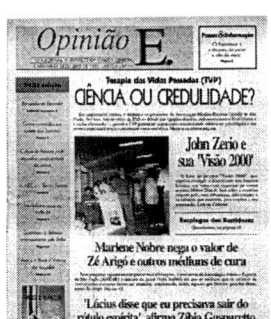

Capítulo 6 — Imprensa Espírita Comtemporânea   147

O SEMEADOR

Só o conhecimento intelectual não resolve

77º aniversário do

CENTRO ESPÍRITA

DISCÍPULOS DE JESUS

APRESENTANDO...

Um pouco de História

VERDADE E LUZ

Editorial

MAIS LUZ NA PRAÇA PÚBLICA

informação

REVISTA ESPÍRITA MENSAL — ANO I — N.º 5 — ABRIL — 77

50 ANOS

MENSAGEIRO

Leis Evolutivas

A Vocação de Levi

CORREIO FRATERNO

O NOSSO «CORREIO FRATERNO»

ANTE O APÊLO DE CRISTO

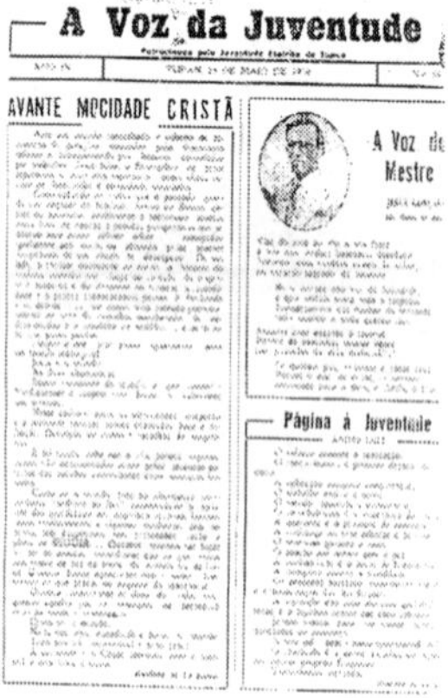

A Voz da Juventude

AVANTE MOCIDADE CRISTÃ

A Voz do Mestre

Página à Juventude

Vidas sucessivas

FONTE VIVA

Cr.$ 2,00

NOSSA TENTATIVA

APRESENTAÇÃO

Capítulo 6 — Imprensa Espírita Comtemporânea

150   *Cem Anos de Comunicação Espírita em São Paulo*

Capítulo 7
ADE-SP – Passado, Presente e Futuro

a) Histórico da ADE-SP
b) Jornal *Aja!*
c) Programa radiofônico *Ação 2000*

a) Histórico da ADE-SP

Agosto de 1989
Nota na imprensa paulista: *ABRAJEE-SP diz não à filiação da entidade no Conselho Federativo Nacional da FEB.*

Setembro de 1989
Carta de afastamento da diretoria da Representação Paulista da Associação Brasileira de Jornalistas e Escritores Espíritas. Altamirando D. A. Carneiro, Diretor; Júlia Nezu Oliveira, Vice-Diretora; Eunilto Carvalho Souza, Secretário; Ivan René Franzolim, Tesoureiro; Éder Fávaro, Assessoria de Comunicação.

24 de setembro de 1989
Fundada a AJE-SP – Associação de Jornalistas Espíritas de São Paulo na sede do IFL – Instituto Fraternal de Laborterapia.

22 de outubro de 1989
Eleita a primeira diretoria da AJE-SP com a presença de 30 jornalistas da capital e do interior. Indicado para patrono da Entidade o jornalista e escritor Herculano Pires. Concorreram duas chapas lideradas por Wilson Garcia e João Pascale, ganhando a primeira por dois votos de diferença.

Gestão 1989 a 1992
Presidente: Wilson Garcia
1º Vice-Presidente: Luis Antônio Fuchs
2º Vice-Presidente: João Pascale
1º Secretário: Ivan René Franzolim
2º Secretário: Altamirando Carneiro
1º Tesoureiro: Eunilto Carvalho Souza
2º Tesoureiro: Júlia Nezu Oliveira
Conselho Fiscal: Jorge Rizzini, Bernardo Kocinas, Cirso Santiago

Janeiro de 1990
Abstal da Silva Loureiro, Presidente da ABRAJEE, propõe a mudança do nome da entidade para ABRACE – Associação Brasileira dos Comunicadores Espíritas —, não tendo repercussão no movimento.

11 de fevereiro de 1990

A AJE-SP decide lançar em abril a campanha de popularização da imprensa espírita, com o slogan *"Abra os olhos para a imprensa espírita"*, com apoio de 16 jornais e duas emissoras de rádio.

8 de abril de 1990

A AJE-SP promove o Painel de Debates: A Imprensa Espírita nos Dias de Hoje.

4 de abril de 1990

Abstal da Silva Loureiro, Presidente da ABRAJEE, afasta-se da entidade por motivo de saúde.

Junho de 1990

AJE-SP publica matéria contra campanha difamatória de Chico Xavier, promovida pelo jornal *Notícias da Semana*.

15 de junho de 1990

AJE-SP tem a iniciativa de reunir representantes da ABRAJEE e produzir uma ata com a proposta para as representações da ABRAJEE serem juridicamente independentes.

28 de abril de 1991

AJE-SP realiza na sede da USE, o 1º VEICOM – Encontro de Veículos de Comunicação.

13 de outubro de 1991

AJE-SP promove o Painel de Debates "Jornalismo Espírita e Modernidade". Nessa oportunidade divulgou os seguintes dados de seu cadastro de veículos de comunicação:

- 96 jornais e revistas no Brasil; 24 deles em São Paulo, sendo 11 da capital e 13 do interior;
- 60 jornais e revistas do exterior;
- 90 boletins espíritas no Estado de São Paulo;
- 30 programas de rádio, sendo 18 na capital.

Gestão 1992 a 1995

Presidente: Ivan René Franzolim
1º Vice-Presidente: Éder Fávaro
2º Vice-Presidente: Luis Antônio Fuchs
1º Tesoureiro: João Nonato Galiza Freire
Assessoria de Imprensa: Wilson Garcia

16 de março de 1992

A AJE-SP lança o Prêmio AJE-SP de Jornalismo – ano 1991, com os seguintes prêmios:

Categoria Artigo

"Pena de Morte: corte essa idéia", Amílcar Del Chiaro Filho, *Correio Fraterno do ABC*.

Categoria Crônica

"Questão de Justiça Divina", Jaci Régis, jornal *Abertura*.

Categoria Reportagem

"O Relato de Quem foi Declarado Morto e Voltou a Viver", Altamirando Carneiro, jornal *O Semador*.

15 de abril de 1992

Lançamento do informativo bimestral da AJE-SP: *AJA!*

30 de abril, 1 a 3 de maio de 1992

Apoio e participação da AJE-SP no 8º Congresso Estadual de Espiritismo, da USE, com a organização da Assessoria de Imprensa e a coordenação do Painel: O Centro Espírita e a Comunicação Social.

25 de julho de 1992

Comemoração do dia da imprensa espírita. Palestra seguida de debate com o professor de jornalismo Wilson Roberto Vieira Ferreira, com o tema: Tendências do Jornalismo Moderno. Realizada no anfiteatro do *Centro Espírita Nosso Lar* das 15 às 18 horas. Foi apresentado o resultado da análise da imprensa espírita e medidas de melhoria.

4 de abril de 1993

Prêmio AJE-SP 1992, auditório da FEESP, com os seguintes prêmios:

Categoria Especializada

Jornal *Espírita Materno*, Márcia Elizabeth de Aquino.

Categoria Jornal

Suplemento literário do jornal *Correio Fraterno do ABC*, Cirso Santiago.

Categoria Artigo

"Nosso Centro", jornal *Dirigente Espírita*, Octávio Caúmo Serrano.

Categoria Inovação

Coluna Ombudsman, jornal *A Voz do Espírito*, José Queide T. Huaixan.

Categoria Reportagem

"Simpósio Analisa a Imprensa Espírita", jornal *Verdade e Luz*, Ulysses de Souza Carvalho.

Categoria Ciência Espírita

Coluna Espiritismo e Ciência de Hernani Guimarães Andrade, jornal *Folha Espírita*, Paulo Rossi Severino.

Categoria Campanha

"Honestidade Já!", jornal *Espírita*, Júlia Nezu Oliveira.

Março de 1994

Carta para os principais programas de rádio e televisão apresentando a AJE-SP e colocando-a à disposição para indicar espíritas preparados.

22 a 24 de abril de 1994

Realização do 1º Simpósio Paulista de Comunicação Espírita com apoio da USE e da Rádio Boa Nova de Guarulhos. O local do evento foi o *Núcleo Kardecista Antônio Pereira de Souza*, situado à Rua Padre Chico, 206, Pompéia. Presentes cento e vinte participantes com destacada atuação e liderança nos meios de comunicação do movimento espírita.

Gestão 1995 a 1998

Presidente: Éder Fávaro

1º Vice-Presidente: Ivan René Franzolim

Tesoureiro: Olavo Santana B. Paiva

Assessoria de Artes: Hamiltom Figueiredo Saraiva
Assessoria de Eventos: José Flávio Marques
Assessoria de Imprensa: Wilson Garcia

14 e 15 de janeiro de 1995

Assembléia Geral Extraordinária realizada na sede da USEERJ com 36 representantes de seis Estados, na qual a ABRAJEE se transforma em ABRADE – Associação Brasileira de Divulgadores do Espiritismo —, dando total independência para a criação das ADEs de cada Estado, graças ao empenho da AJE-SP.

Março de 1995

A Associação dos Jornalistas Espíritas do Estado de São Paulo — AJE-SP —, passa a denominar-se ADE-SP – Associação de Divulgadores do Espiritismo, ampliando consideravelmente seu âmbito de atuação.

23 de março de 1996

A ADE-SP realiza o 1º Encontro de Expositores Espíritas na *Sociedade Espírita Mãos Unidas*, Rua Casa Forte, 609, Água Fria, com o apoio da USE e da FEESP.

6 a 8 de setembro de 1996

A ADE-SP realiza o 2º Simpósio Paulista de Comunicação Social Espírita, na FEESP, com o tema: Divulgação com Resultados, do expositor à Internet.

8 de março de 1997

A ADE-SP realiza na USE o Ciclo de Cultura Espírita, com a palestra de Antonio Cesar Perri de Carvalho: O Espiritismo na Era da Globalização.

26 e 27 de julho de 1997

A ADE-SP e a Rádio Boa Nova de Guarulhos realizam Encontro sobre Técnicas de Rádio, com o objetivo de preparar pessoas para produzirem programas radiofônicos.

5, 6 e 7 de setembro de 1998

A ADE-SP promove o 3º Simpósio de Comunicação Social Espírita na sede do *Instituto Espírita de Educação*, Rua Leopoldo Couto de Magalhães Jr., 695, Itaim Bibi, São Paulo/SP.

Gestão 1998 a 2001
Presidente: Éder Fávaro
Vice-Presidente: Ivan René Franzolim
Tesoureiro: Dirceu Lutke
Secretário: Américo Luís Sucena de Almeida

Fevereiro de 1998
A ADE-SP organiza pesquisa para a USE utilizar nos Centros Espíritas.

6 de maio e 3 de junho de 2000
A ADE-SP realiza Curso de Comunicação Verbal na FEESP.

18 de agosto de 2000
Realização do fórum de debates com John Aizpurua, Presidente da CEPA – Confederação Espírita Panamericana –, com o tema: A Visão Social do Espiritismo. O evento foi realizado na Câmara Municipal de São Paulo, auditório Prestes Maia, com representantes da maioria das instituições espíritas especializadas.

Gestão 2001 a 2004
Presidente: Ivan René Franzolim
Vice-Presidente: Américo Luís Sucena de Almeida
Tesoureiro: Éder Fávaro
Secretário: Ida Della Monica
Conselho Fiscal: Tarcísio Basílio, Etalivio Martins, Dirceu

19, 20 e 21 de janeiro de 2001
Participação no 1º ENCOESP – Encontro Espírita – realizado pela USE – União das Sociedades Espíritas do Estado de São Paulo – no palácio das Convenções do Anhembi, com o objetivo de divulgar a Doutrina Espírita para espíritas e não-espíritas num trabalho com a participação de diversas instituições espíritas especializadas, unindo esforços para a difusão do Espiritismo.

5 de maio de 2001
Curso de Formação de Expositores; C. E. José Barroso; USE Osasco.

16 de junho de 2001
Curso de Seminário de Administração; USE Sorocaba.

1º de julho de 2001
Curso de Comunicação Verbal (8h) – USE Santo André.

7 e 8 de setembro de 2001
A ADE-SP promove o 4º Simpósio Paulista de Comunicação Social Espírita no *Grupo Espírita Manoel Bento*, Rua Alfredo Pujol, 77 – Santana. Evento discute e aprofunda o moderno conceito de comunicação, com a participação de representantes das ADEs de outros Estados.

Fac-Símile da notícia do simpósio promovido pela AJE-SP.

b) Jornal *Aja!*

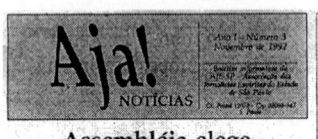

c) Programa radiofônico *Ação 2000*

Equipe do Programa *Ação Brasil 2000*. De pé, da esquerda para a direita: Tarcísio Basílio, Américo Luís Sucena, Ida Della Monica e Éder Fávaro. Sentados: Ivan Franzolim e Milton Felipeli.

Bibliografia

Abreu, Canuto. *Bezerra de Menezes – Subsídios para a História do Espiritismo no Brasil até o ano de 1895*. Feesp, s/ data.

Camargo, Cândido Procópio F. de. *Católicos, Protestantes e Espíritas*. Editora Vozes, 1973.

D'Angelo, Antonio. *Que Fizeste da Tua Peregrinação?*. Edição do Autor, 1943.

Diversos. *Anuário Espírita*. IDE, diversos anos.

Diversos. *História da Tipografia no Brasil*. Secretaria da Cultura, Ciência e Tecnologia do Governo do Estado de São Paulo, 1979.

Dourado, Mecenas. *Hipólito da Costa e o Correio Brasiliense*. Tomo I. Biblioteca do Exército Editora, 1957.

Ferreira, Júlio Andrade. *O Espiritismo – Uma Avaliação*. Casa Editora Presbiteriana, 1959.

Freitas, Affonso A. de. *A Imprensa Periódica de São Paulo*. Instituto Histórico e Geográfico de São Paulo, 1915.

Godoy, Paulo Alves de; Lucena, Antonio de Souza. *Personagens do Espiritismo*. Feesp, 1982.

Godoy, Paulo Alves de. *Grandes Vultos do Espiritismo*. Feesp, 1981.

Hallewell, Laurence. *O Livro no Brasil*. Edusp, 1985.

Machado, Ubiratan. *Os Intelectuais e o Espiritismo*. Edições Antares / Pró-Memória / Instituto Nacional do Livro, 1983.

Monteiro, Eduardo Carvalho. *Anália Franco, a Grande Dama da Educação Brasileira*. Editora Eldorado Espírita, 1992.

Monteiro, Eduardo Carvalho / Garcia, Wilson. *Cairbar Schutel, o Bandeirante do Espiritismo*.

Pires, Heloísa. *Herculano Pires, O Homem no Mundo*. Feesp, 1992.

Ramos, Clóvis. *A Imprensa Espírita no Brasil – 1869/1978*. Instituto Maria / Departamento Editorial, 1979.

Rizzini, Carlos. *O Jornalismo Antes da Tipografia*. Imprensa Oficial do Estado S.A.-IMESP, Edição *Fac-Similar*, 1988.

Rizzini, Carlos. *O Jornalismo Antes da Tipografia*. Companhia Editora Nacional, 1977.

Rizzini, Jorge. J. *Herculano Pires — O Apóstolo de Kardec*. Paideira, 2001.

Sodré, Nelson Werneck. *História da Imprensa no Brasil*. Livraria Martins Fontes Editora Ltda., 3ª Edição, 1983.

Wantuil, Zeus. *Grandes Espíritas do Brasil*. Feb, 1969.

OBS: Jornais e Revistas pesquisados do Instituto Histórico e Geográfico de São Paulo, Biblioteca Nacional (RJ), Arquivo do Estado de São Paulo, Biblioteca Municipal de São Paulo e Arquivo pessoal do Autor.

Obras do Autor

Allan Kardec, o Druida Reencarnado. Editora Eldorado Espírita/EME, 1996.

Anais do Instituto Espírita de Educação. Edição IEE, 1994.

Anália Franco, A Grande Dama da Educação Brasileira. Editora Eldorado Espírita, 1992.

Anuário Histórico Espírita (organizador). Madras Espírita (Editora Madras)/Co-edição: USE, 2003.

Batuíra, o Diabo e a Igreja. Madras Espírita (Editora Madras)/Co-edição: USE, 2003.

Batuíra, Verdade e Luz. Editora Lúmen, 1999.

Cairbar Schutel, o Bandeirante do Espiritismo (Co-autoria: Wilson Garcia). Casa Editora "O Clarim", 1986.

Chico Xavier e Isabel, a Rainha Santa de Portugal. Madras Espírita (Editora Madras), 2001.

Elcio Abraça os Hansenianos. Madras Espírita (Editora Madras)/Co-edição: USE, 2003.

Extraordinária Vida de Jésus Gonçalves, A. Madras Espírita (Editora Madras)/Co-edição: USE, 2002.

Esoterismo na Ritualística Maçônica, O. Editora Madras, 2002.

História da Dramaturgia com Temática Espírita. Edições USE, 1999.

História do Espiritismo em Piracicaba. Edições USE, Intermunicipal Piracicaba, 2000.

Jésus Gonçalves, o Poeta das Chagas Redentoras. Editora Eldorado Espírita/EME, 1998.

Leopoldo Machado em São Paulo. Edições USE, 1999.

Loja Amphora Lucis. 25 anos de Ideal Maçônico (Co-autoria: Denis Ribeiro). Edição própria.

Maçonaria e as Tradições Herméticas, A. Editora "A Trolha", 2002.

Motoqueiros no Além (Co-autoria: Euricledes Formiga/Espíritos Diversos, Prefácio de Chico Xavier). Instituto de Difusão Espírita, 1982.

Olá, Amigos! (Co-autoria: Euricledes Formiga/Espíritos Diversos, Prefácio de Chico Xavier). Instituto de Difusão Espírita, 1981.

Sala de Visitas de Chico Xavier. Editora Eldorado Espírita/EME, 2000.

Sinal de Vida na Imprensa Espírita (Co-autoria: Wilson Garcia). Editora Eldorado Espírita/EME, 1995.

Templo Maçônico e as Moradas do Sagrado, O. Editora "A Trolha", 1996.

USE, 50 Anos de Unificação (Co-autoria: Natalino D'Olivo). Edições USE, 1997.

Victor Hugo e Seus Fantasmas. Editora Eldorado Espírita/EME, 1997.

Vinícius, Educador de Almas (Co-autoria: Wilson Garcia). Editora Eldorado Espírita/EME, 1995.

Endereço do Autor:
Eduardo Carvalho Monteiro
Rua Xapanã, 5 — Jardim Los Angeles
CEP: 04648-150 — São Paulo/SP
Tel.: (0_ _11) 5686-8019 — Fax.: (0_ _11) 5541-0254
E-mail: edumonteiro@nw.com.br

Conheça também:

Anuário Histórico Espírita tem a finalidade de colaborar para o resgate da memória do Espiritismo no Brasil e no mundo, por meio de contribuições espontâneas em forma de artigos de historiadores e pesquisadores do Espiritismo dos mais variados rincões, alguns vindos do meio acadêmico, outros apenas obreiros do movimento espírita, mas que trazem dados históricos ricos em informações que engrandecem o conteúdo desta obra.

Para compreender o Espiritismo e sua importância no tempo e no espaço, este compêndio buscou resgatar sua memória e inseriu-a no meio em que nasceu (França) e nos lugares onde floresceu, sendo o Brasil o solo onde suas sementes mais germinaram. Eis alguns registros aqui encontrados: Entrevista com o Historiador Antonio Lucena; Barão de Vasconcellos: um precursor de Kardec no Ceará; Primórdios do Espiritismo no Amazonas; Imprensa Espírita no Ceará; Edynardo Weyne: o Semeador de Esperanças; Sociedade Pró-Livro Espírita em Braille; Principais Congressos Espíritas Internacionais; A Origem do termo "Centro Espírita"; História do Espiritismo em Mato Grosso; Espiritismo e Parapsicologia, entre outros.

O leitor poderá, ainda, prestigiar uma verdadeira galeria de imagens por meio de várias fotos coloridas de alguns lugares por onde passou não menos que o grande Allan Kardec.

Leitura Recomendada

CHICO XAVIER e Isabel, A Rainha Santa de Portugal
Eduardo Carvalho Monteiro

Chico Xavier e Isabel são espíritos afins, porque vivem um mesmo ideal. Suas vidas assemelhadas no amor à humanidade derrubam o tempo ordinário e o espaço insignificante, desprezando os rótulos religiosos para se atraírem na eternidade e servirem de exemplo a todos nós, espíritos peregrinos em busca de luz!

EXTRAORDINÁRIA VIDA DE JÉSUS GONÇALVES
Eduardo Carvalho Monteiro

Eis uma obra que traz uma biografia incomum, pois transcende os limites terrenos. A obra mostra a trajetória material e espiritual deste poeta nascido no interior paulista, no século passado. Era um ateu declarado que, no auge do seu drama marcado pela hanseníase, converteu-se ao Espiritismo, qual Saulo na Estrada de Damasco, e passa a defender os ideais espíritas com grande afinco.

VERDADE REVELADA POR ALLAN KARDEC, A
A Atualidade do Ensinamento Espírita
Alain e Gisèle Guiot

Os Autores preparam uma nova leitura da obra de Kardec, atualizando-a para os dias atuais. Esta obra é mais uma confirmação de que as revelações morais, filosóficas e espirituais deste espírito genial continuam vivas e podem ser compreendidas por nós.

REENCONTRO...
O Despertar do Amor
Iara C. L. Pinheiro — Por Inspiração do Espírito Kahena

Este é um romance para ser lido com o coração; é uma obra que toca profundamente quem a lê, que mexe com os sentimentos íntimos e profundos, que traz à tona emoções sinceras e verdadeiras.

NO VALE DOS SUICIDAS
Quando todas as esperanças parecem perdidas...
Evaristo Humberto de Araújo

Um livro impressionante que traz fatos nunca antes revelados, nem mesmo no grande sucesso Memórias de um Suicida.
Num cenário de caos e dor, o leitor irá acompanhar o desespero de Márcio, um espírito suicida. Arrependido e sem encontrar uma saída, uma nova oportunidade lhe é finalmente oferecida.

ENFIM JUNTOS
O Amor pode Atravessar Séculos
Adreie Bakri

Acreditem ou não em reencarnação, todas as pessoas sonham em um dia encontrar sua alma gêmea e dividir com ela todos os momentos de sua vida, ou de suas vidas. Enfim Juntos relata a história de amor de Mário e Ana que, apesar de se amarem profundamente, passaram, vidas após vidas, resgatando erros para, enfim, poder viver o grande amor.

MADRAS® Espírita
CADASTRO/MALA DIRETA

Envie este cadastro preenchido e passará receber informações dos nossos lançamentos, nas áreas que determinar.

Nome _____
Endereço Residencial _____
Bairro _____ Cidade _____
Estado _____ CEP _____ Fone _____
E-mail _____
Sexo ☐ Fem. ☐ Masc.   Nascimento _____
Profissão _____ Escolaridade (Nível/curso) _____

Você compra livros:
☐ livrarias ☐ feiras ☐ telefone ☐ reembolso postal
☐ outros: _____

Quais os tipos de literatura que você LÊ:
☐ jurídicos   ☐ pedagogia   ☐ romances   ☐ espíritas
☐ esotéricos ☐ psicologia ☐ saúde   ☐ religiosos
☐ outros: _____

Qual sua opinião a respeito desta obra? _____
_____

Indique amigos que gostariam de receber a MALA DIRETA:
Nome _____
Endereço Residencial _____
Bairro _____ CEP _____ Cidade _____
Nome do LIVRO adquirido: 100 ANOS DE COMUNICAÇÃO ESPÍRITA EM SÃO PAULO

Para receber catálogos, lista de preços e outras informações escreva para:

MADRAS Espírita
Rua Paulo Gonçalves, 88 - Santana - 02403-020 - São Paulo - SP
Caixa Postal 12299 - 02013-970 - S.P.
Tel.: (0_ _11) 6959.1127 - Fax: (0_ _11) 6959.3090
www.madras.com.br

Este livro foi composto em Times New Roman, corpo 11/12.
Papel Offset 75g – Bahia Sul
Impressão e Acabamento
Book RJ Gráfica e Editora – Rua Clark, 136 – Moóca – São Paulo/SP
CEP 03167-070 – Tel.: (0_ _11) 6605.7344 – e-mail: bookrj@terra.com.br